autotransformação com
leveza e esperança

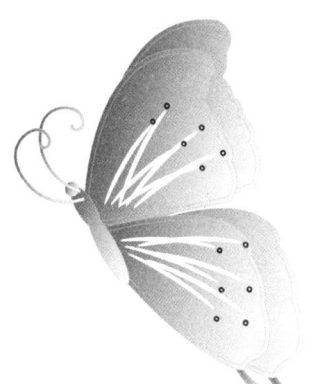

Sem alimentar fantasias de saltos evolutivos, dê um passo atrás do outro.

Sem ansiar pela grandeza das estrelas, ame-se na condição de singelo pirilampo que se esforça por fazer luz na noite escura.

Faça as pazes com suas imperfeições. Descubra suas qualidades, acredite nelas e coloque-as a serviço de suas metas de crescimento, essa é a fórmula da verdadeira transformação.

Ermance Dufaux

Série
Harmonia Interior

Reforma Íntima

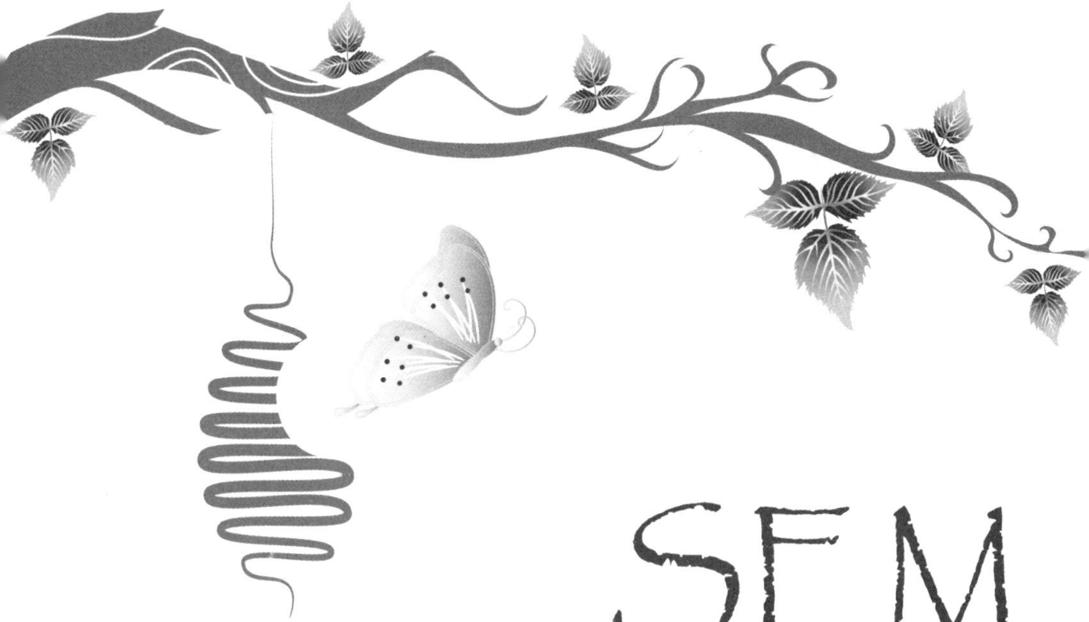

SEM Martírio

autotransformação com
leveza e esperança

Reforma Íntima SEM Martírio

autotransformação com
leveza e esperança

Wanderley Oliveira
pelo espírito
Ermance Dufaux

REFORMA ÍNTIMA SEM MARTÍRIO
Copyright © 2003 by Wanderley Oliveira
1ª Edição |Janeiro/2003 | 1º a 5º milheiro
3ª Edição | Outubro/2019 | 165º ao 168,5º milheiro

Dados Internacionais de Catalogação Pública

DUFAUX, Ermance (Espírito)

Reforma íntima sem martírio: autotransformação com leveza e esperança.
Ermance Dufaux (Espírito): psicografado por Wanderley Oliveira.
Dufaux, Belo Horizonte, MG, 2012, 3ª edição.

295p.   16 x 23 cm

ISBN: 978-85-63365-12-5

1. Espiritismo   2. Psicografia
I. OLIVEIRA, Wanderley   II. Título

CDU 133.3

Impresso no Brasil   Printed in Brazil   Presita en Brazilo

EDITORA DUFAUXR

R. Contria, 759 - Alto Barroca
Belo Horizonte - MG, 30431-028
Telefone: (31) 3347-1531
comercial@editoradufaux.com.br
www.editoradufaux.com.br

Conforme novo acordo ortográfcio da língua portuguesa ratificado em 2008.

Os direitos autorais desta obra foram cedidos pelo médium Wanderley Oliveira à Sociedade Espírita Ermance Dufaux (SEED). É proibida a sua reprodução parcial ou total através de qualquer forma, meio ou processo eletrônico, sem prévia e expressa autorização da editora nos termos da lei 9 610/98, que regulamenta os direitos de autor e conexos.

Self

"É o arquétipo da totalidade, isto é, tendência existente no inconsciente de todo ser humano à busca do máximo de si mesmo e ao encontro com Deus. É o centro organizador da psique. É o centro do aparelho psíquico, englobando o consciente e o inconsciente. Como arquétipo, se apresenta nos sonhos, mitos e contos de fadas como uma personalidade superior, como um rei, um salvador ou um redentor. É uma dimensão da qual o ego evolui e se constitui. O Self é o arquétipo central da ordem, da organização. São numerosos os símbolos oníricos do Self, a maioria deles aparecendo como figura central no sonho."

(Trecho extraído da obra Mito Pessoal e Destino Humano, do escritor espírita e psicólogo Adenáuer Novaes.)

Sombra

"É a parte da personalidade que é por nós negada ou desconhecida, cujos conteúdos são incompatíveis com a conduta consciente."

(Trecho extraído da obra Psicologia e Espiritualidade, do escritor espírita e psicólogo Adenáuer Novaes.)

SuMaRP

Angústia da perfeição

Ermance Dufaux | 22

Prefácio

Uma palavra inspiradora | 26

Introdução

Consciência de si mesmo | 34

Capítulo 1

Dores do martírio | 42

Quem está na reforma interior tem um referencial fundamental para se autoanalisar ao longo da caminhada educativa, um termômetro das almas que se aprimoram; inevitavelmente, quem se renova alcança a maior conquista das pessoas livres e felizes: o prazer de viver.

Capítulo 2

Ética da transformação | 48

Entretanto, para levar o homem ao aprimoramento, o autodescobrimento exige uma nova ética nas relações consigo mesmo e com a vida: é a ética da transformação, sem a qual a incursão no mundo íntimo pode estacionar em mera atitude de devassar a subsconsciência sem propósitos de mudança para melhor.

Capítulo 3

Projeto de vida | 56

Uma semana na Terra é composta de dez mil e oitenta minutos. Tomando por base noventa minutos como o tempo habitual de uma atividade espiritual voltada para a aquisição de noções elevadas, e ainda levando em conta que raramente alguém ultrapassa o limite de duas ou três reuniões semanais, encontramos um coeficiente de, no máximo, duzentos e setenta minutos de preparo para a implementação da renovação mental, ou seja, pouco menos de três por cento do volume de tempo de uma semana inteira.

Capítulo 4

O que procede do coração | 62

Frágil padrão de validação da conduta espírita tem tomado conta dos costumes entre os idealistas. Enraizou-se o axioma "espírita faz isso e não faz aquilo" que tenta enquadrar o valor das ações em estereótipos de insustentável bom-senso.

Capítulo 5

Sábia providência | 68

A natureza nos leva ao esquecimento do passado exatamente para aprendermos a descobrir em nosso mundo interior as razões profundas de nossos procedimentos, pela análise dos pendores e impulsos, interesses e atrações que formam o conjunto de nossas reações denominadas tendências.

Capítulo 6

O grande aliado | 76

Ao invés de ser contra o que fomos, precisamos aprender uma relação pacífica de aceitação sem conformismo a fim de fazer do homem velho um grande aliado no aperfeiçoamento.

Capítulo 7

Sexualidade e hipnose coletiva | 82

...um turbilhão energético provido de vida e movimento permeia

toda a psicosfera do orbe. Qual se fosse uma serpente sedutora criada pelas emanações primitivas, resulta das atitudes perante a sexualidade entre todas as comunidades.

Capítulo 8
Arrependimento tardio | 90

Se não existisse trabalho redentor na vida espiritual, as almas teriam de reencarnar com brevidade porque não suportariam o nível mental das recordações e perturbações do arrependimento.

Capítulo 9
Espíritas não praticantes? | 100

Estejamos convictos de um ponto em matéria de melhoria espiritual: só faremos e seremos aquilo que conseguirmos, nem mais, nem menos. O importante é que sejamos o que somos, sem essa necessidade injustificável de ficar criando rótulos para nosso estilo ou forma de ser.

Capítulo 10
Reflexo-matriz | 106

Os reflexos são como personalidades indutoras estabelecendo o automatismo dos sentimentos externados em atitudes e palavras. Nesse circuito vivemos e decidimos, progredimos ou estacionamos.

Capítulo 11
A arte de interrogar | 112

Será muito simplista a atitude de responsabilizar obsessores e reencarnações passadas por aquilo que sentimos e que não conseguimos explicar com maior lucidez. Em alguns casos chega a ser mesmo um ato de invigilância.

Capítulo 12

Ser melhor | 118

O conjunto dos ensinos espíritas é um roteiro completo para todos os perfis de necessidades no aperfeiçoamento da humanidade. Tomar todo esse conjunto como regras para absorção instantânea é demonstrar uma visão dogmática de crescimento, gerando aflições e temores, perfeccionismo e ansiedade que são desnecessários no aproveitamento das oportunidades.

Capítulo 13

Meditação sobre a amizade com o homem velho | 122

A inimizade com o homem velho é extremamente prejudicial ao desenvolvimento dos valores divinos, porque gastamos toda a energia para nos combater, e não para talhar virtudes e conquistar nossa sombra.

Capítulo 14

Imunidade psíquica | 128

É uma criação de almas superiores em favor da obra do bem que todos, pouco a pouco, estamos construindo na Terra. Chama-se imunizador psíquico. Composto de material rarefeito, mas de alta potência irradiadora de ondas mentais de curta frequência, é um aparelho de defesa mental que concede ao médium melhores recursos no desempenho de sua missão.

Capítulo 15

Diálogo sobre ilusão | 136

Autoilusão é aquilo em que queremos acreditar sobre nós mesmos, mas que não corresponde à realidade do que verdadeiramente somos, é a miragem de nós próprios ou aquilo que imaginamos ser.

Capítulo 16
Lições preciosas com Dr. Inácio | 144

O imaginário dos espíritas sobre a vida além da morte, apesar de ser rico em informações, anda distante daquilo que realmente vem sucedendo a quantos são envolvidos por fora pelas claridades do Espiritismo, mas que descuidam do serviço de se iluminarem por dentro.

Capítulo 17
Por que melindramos? | 154

Contudo, larga diferença vai entre a ofensa natural e o melindre, que é a reação neurótica às ofensas. Melindre é o estado afetivo doentio de fragilidade que dilata a proporção e a natureza das agressões que sofremos do meio.

Capítulo 18
Fé nas vitórias | 160

Costuma-se observar, na atualidade, uma neurotização da proposta de renovação interior. Muita impaciência e severidade têm acompanhado esse desafio, levando ao perfeccionismo por falta de entendimento do que seja realmente a reforma íntima.

Capítulo 19
Angústia da melhora | 164

Os conflitos criam as tensões no mundo íntimo em razão da contraposição entre esses três fatores: o que a criatura gostaria, o que ela deve e aquilo que ela consegue.

Capítulo 20
Imprudência no trânsito | 170

A postura ética do homem de bem perante as leis civis deve ser a da integridade moral.

A direção de um veículo motorizado é uma arte, e como tal deve ser conduzida: a arte de respeitar a vida.

Capítulo 21

Depressões reeducativas | 180

Semelhantes depressões, portanto, são os resultados mais torturantes da longa trajetória no egoísmo, porque o núcleo desse transtorno chama-se desapontamento ou contrariedade, isto é, a incapacidade de viver e conviver com a frustração de não poder ser como se quer e ter de aceitar a vida como ela é, e não como se gostaria que fosse.

Capítulo 22

A velha ilusão das Aparências | 188

Hipocrisia é o hábito humano adquirido de aparentar o que não somos, em razão da necessidade de aprovação do grupo social com o qual convivemos. Intencional ou não, é um fenômeno profundo nas suas raízes emocionais e psíquicas, que envolve particularidades específicas de cada criatura ...

Capítulo 23

Só o bem repara o mal | 194

Particularmente, a maioria de nós, que somos atraídos para a necessidade imperiosa de renovação perante a vida nas linhas do bem, quando no retorno à escola terrena, carreamos na intimidade uma pulsante aspiração de nos transformar, em razão das angústias experimentadas pelas duras revelações descerradas pela desencarnação.

Capítulo 24

Ícones | 202

Contudo, esse processo de integração gera um doloroso sentimento de perda, necessário ao progresso. Perde-se o velho para construir o novo. Na verdade, efetuamos uma reconstrução marcada por etapas desafiantes. Perde-se a velha identidade e não se sabe como construir o que se deve ser, agora, a nova identidade.

Capítulo 25

Fé e singularidade | 210

Fé raciocinada é um fenômeno psicológico e emocional construído com base no desejo autêntico e perseverante de compreender o que nos cerca – conquista somente possível por meio da renovação do entendimento e da forma de sentir a vida.

Capítulo 26

Disciplina dos desejos | 218

Falamos, pensamos e até agimos no bem em muitas ocasiões, mas nem sempre sentimos o bem que advogamos, estabelecendo hiatos de afeto no comprometimento com a causa, atraindo desmotivação, dúvida, preguiça, perturbação e ausência de identificação com as responsabilidades assumidas.

Capítulo 27

Pressões por testemunho | 226

Tornando-se alvo de alguma trama dos adversários, funciona como uma isca que atrai para muito perto da sua vida mental os desencarnados que, sem perceberem, se emaranham em uma teia de irradiações poderosas, permitindo-nos uma ação mais concreta em comparação a muitas das incursões nos vales sombrios.

Capítulo 28

A força do bem | 236

Os homens costumam ver os espíritos onde eles não estão, e onde eles estão não costumam ser vistos pelos homens!

Capítulo 29

Psicosfera | 242

Tomando por comparação as teias dos aracnídeos, criadas para capturar alimentação e se defender, a mente humana, de modo similar, tem seu campo mental de absorção e defesa estabelecido pelo teor de sua radiação moral: são as psicosferas.

Capítulo 30

Conclave de líderes | 248

Cumprindo mais uma de nossas programações no Hospital Esperança, reunimos influente grupo encarnado de pouco mais de mil formadores de opinião no movimento espírita. Trouxemo-los para uma breve e oportuna advertência.

Epílogo

Em que ponto da evolução nos encontramos? | 272

Apesar de já peregrinarmos há milênios no reino hominal, ainda não nos fizemos legítimos proprietários da Herança Paternal a nós confiada. Não será impróprio dizer que somos "meio humanizados".

Angústia da perfeição

"Pode alguém, por um proceder impecável na vida atual, transpor todos os graus da escala do aperfeiçoamento e tornar-se Espírito puro, sem passar por outros graus intermediários?
Não, pois o que o homem julga perfeito longe está da perfeição. Há qualidades que lhe são desconhecidas e incompreensíveis. Poderá ser tão perfeito quanto o comporte a sua natureza terrena, mas isso não é a perfeição absoluta..."

O Livro dos Espíritos - Questão 192

Alma querida nos ideais renovadores é natural que sofra inquietação por nutrir objetivos transformadores.

Ante a penúria de seus valores, você se declara sem mérito para receber a ajuda Divina. Perante a extensão de suas falhas, açoita a consciência com lancinante sentimento de hipocrisia ao repetir os mesmos desvios, os quais já gostaria de não se permitir. Essa é a estrada da perfeição, não se martirize.

Tudo isso é compreensível, parte integrante de quantos se candidatam aos serviços reeducativos de si mesmos, portanto, não seja demasiadamente severo consigo mesmo.

Sem lástima e censura, perdoe-se e prossiga sempre.

Confie e trabalhe cada vez mais.

Por mais causticantes as reações íntimas nos refolhos conscienciais, guarde-se na oração e na confiança e enriqueça sua fé nas pequenas vitórias.

A angústia da melhora é impulso para a promoção. O remédio salutar para amenizá-la é a aceitação incondicional de si mesmo.

Aceitando-se humildemente como é e fazendo o melhor que possa, você se vitulizará com mais fortes apelos interiores para a continuidade do projeto de melhoria e corrigenda. Por outro lado, se você se pune estará assinando um decreto de desamor contra si mesmo.

Afeiçoe-se com devotamento e sensatez aos exercícios que são delegados por tarefas renovadoras do bem, aprimorando-se em regime de vigilância e paciência.

Sem alimentar fantasias de saltos evolutivos, dê um passo atrás do outro.

Sem ansiar pela grandeza das estrelas, ame-se na condição de singelo pirilampo que se esforça por fazer luz na noite escura.

Faça as pazes com suas imperfeições. Descubra suas qualidades, acredite nelas e coloque-as a serviço de suas metas de crescimento, essa é a fórmula da verdadeira transformação.

O tempo concederá valor e experiência a seus esforços, ajustando seus propósitos aos limites de suas possibilidades, libertando-te da angústia que provém dos excessos.

Caminhe um dia após o outro na certeza de que Deus o espera sempre com irrestrito respeito por suas mazelas, guardando o único direito de um Pai zeloso e bom, que é a esperança de que amanhã você seja melhor que hoje, para sua própria felicidade.

Ermance Dufaux

Prefácio

Uma palavra inspiradora

> *"Porque não faço o bem que quero,
> mas o mal que não quero esse faço."*
>
> Romanos, 7:19

Uma pergunta jamais deverá deixar de ser o centro de nossas cogitações nas vivências espíritas: em que estou melhorando?

Ter noções claras sobre as conquistas interiores, mesmo que pouco expressivas, é valoroso núcleo mental de motivação para a continuidade da empreitada da renovação. Por sua vez, não dar valor aos passos amealhados é permitir a expansão do sentimento de impotência e menosprezo aos esforços que já temos encetado.

Como seria justo, os irmãos reencarnados podem indagar: como adquirir, então, essa noção clara sobre a posição espiritual de cada um, considerando o tamponamento do cérebro físico?

A única postura que nos assegurará a mínima certeza de que algo estamos realizando em favor de nossa ascensão espiritual, no corpo físico ou fora dele, é a continuidade que damos aos projetos de renovação que idealizamos. Os obstáculos serão incessantes até o fim da existência, não nos competindo nutrir expectativas com facilidades, mas sim a coragem e o otimismo indispensáveis para vencer um desafio após o outro.

Que a esperança não desfaleça diante dessa realidade. Nossas conquistas não podem ser edificadas na calmaria. Nossas virtudes não florescerão sem os golpes da dor que dilacera arestas e poda os espinhos da imperfeição.

Nossa palavra de ordem é recomeçar – uma palavra inspiradora.

Quantas vezes se fizerem necessárias, a nossa grande e única virtude nos áridos campos do aprimoramento íntimo é a capacidade de resistir aos apelos para a queda, jamais desistindo do ideal de libertação que acalentamos, trabalhando mesmo que cansados, servindo mesmo que carentes, estudando mesmo que desmotivados, aprendendo mesmo que sem objetivos definidos.

A própria reencarnação é o mecanismo divino do recomeço, da retomada. Justo, portanto, que abracemos amorosamente os compromissos abandonados de outros tempos e aplainemos nossos caminhos tortuosos.

Temos o que merecemos e somos aquilo que plasmamos.

Em meio ao lodaçal do desânimo nasce o lírio da personalidade tenra que estamos, paulatinamente, cultivando. Sob o peso cruel da angústia, estamos construindo a condição imunizadora do poder mental.

Desde que não desistamos, sempre haverá uma chance para a vitória.

Prossigamos sem expectativas de angelitude que não temos como alcançar por agora.

Não ser o que gostaria é o mais alto preço tributado àquele que optou pelos descaminhos do egoísmo, essa também é a maior tormenta para todos os que almejam a melhoria de si mesmos. Nisso reside o drama interior narrado por Paulo de Tarso: "Porque não faço o bem que quero, mas o mal que não quero esse faço".

Não queremos ser mais quem fomos, mas ainda não somos quem queremos ser. Então quem somos?

Isso gera uma etapa definida por profunda inaceitação de tudo na vida. Corpo, profissão, relações, afetos e até mesmo os sucessos do caminho são dramaticamente abalados pela diminuição da alegria e do encanto diante dessas "provas de ajustamento".

Todavia, a lei estabelece a morte do pecado, e não do pecador.

Para todos é abundante a misericórdia – lei universal da piedade Paternal – que nos assegura: o amor cobre a multidão de pecados.[1]

---

[1] I Pedro, 4:8.

Apesar desse ditame celeste, a dor-evolução não tem sido suportada por muitos e agravada por outros, levando a quadros de graves enfermidades morais e desamor a si mesmo.

Até mesmo a reforma íntima, em muitos casos, devido às más interpretações costumeiras, tem sido um instrumento de autopunição e martírio penitencial.

Nesse torvelinho de conceitos e dramas psicológicos, Ermance Dufaux surge com uma palavra de conforto e discernimento aos nossos corações. Sua iniciativa nesta obra reveste-se de valorosa inspiração que trará estímulo, pacificação e luz a muitos corações encarcerados nas árduas provas do crescimento íntimo.

Analisando seus textos objetivos e lúcidos, podemos antever a utilidade da iniciativa de enviá-los à Terra. Entretanto, a despeito de sua oferenda, ela própria é a primeira a declinar de seus méritos, solicitando-nos destacar que essas páginas são fruto de um conjunto de esforços de almas que laboram pela implantação do programa de valores humanos [2] para as sociedades espíritas, cujo responsável é o nosso benfeitor Bezerra de Menezes, que cumpre diretrizes superiores do Espírito de Verdade.

Ressalte-se que os casos aqui narrados, vividos no Hospital Esperança[3], onde trabalhamos juntos no serviço do bem, são indícios preciosos colhidos diretamente de almas que viveram os dramas descritos. Assim expressamos em respeito a todos eles, que permitiram, de bom grado, a narrativa de suas quedas ou experiências em favor do bem alheio.

---

2 Seara Bendita, Diversos Espíritos, Maria José C. S. Oliveira e Wanderley S. Oliveira, Introdução, "Atitude de Amor", Editora Dufaux.
3 Obra de amor erguida por Eurípedes Barsanulfo na erraticidade. Maiores informações no livro Tormentos da Obsessão, psicografado por Divaldo Pereira Franco, de autoria espiritual de Manoel Philomeno de Miranda.

Que a mensagem aqui contida seja uma palavra de recomeço e uma inspiração para a continuidade da luta íntima pela vitória do homem renovado no Cristo de Deus.

E lembrando, mais uma vez, o baluarte da mensagem cristã livre, destacamos que os percalços não cercearam Paulo de Tarso em direção aos cimos. Apesar de seus conflitos, ele, imbativelmente, declarou: "... tornai a levantar as mãos cansadas, e os joelhos desconjuntados, e fazeis veredas direitas para os vossos pés ...".[4] "E não nos cansemos de fazer bem, porque a seu tempo ceifaremos, se não houvermos desfalecido."[5]

Sejamos fiéis e confiantes nos pequenos esforços de ascensão que temos conseguido realizar. Abandonemos a aflição e a ansiedade relativamente ao que gostaríamos de ser, porque somente amando o que somos encontraremos força para prosseguir. O mesmo Paulo de Tarso que declarou, na angústia de suas lutas: ... "o mal que não quero esse faço", mais adiante, calejado pelas refregas educativas, compreendeu a importância que tinha para os ofícios do bem ao afirmar: "... não sou digno de ser chamado apóstolo (...) mas pela graça de Deus sou o que sou".

Por nossa vez, estejamos convictos de que não somos eleitos especiais para a obra a que nos entregamos, contudo, já nos encontramos dispostos a esquecer o mal e a construir o bem que pudermos. Existe um melhor recomeço do que esse?

Cícero Pereira

Belo Horizonte, março de 2003

---

4. Hebreus, 12:12 e 13.
5. Gálatas, 6:9.

"Que a mensagem aqui contida seja uma palavra de recomeço e uma inspiração para a continuidade da luta íntima pela vitória do homem renovado no Cristo de Deus."

Introdução

"Em princípio, o homem que se exalça, que ergue uma estátua à sua própria virtude, anula, por esse simples fato, todo mérito real que possa ter. Entretanto, que direi daquele cujo único valor consiste em parecer o que não é? Admito de boamente que o homem que pratica o bem experimenta uma satisfação íntima em seu coração; mas, desde que tal satisfação se exteriorize, para colher elogios, degenera em amor-próprio."

O Evangelho Segundo o Espiritismo
Capítulo 17 - item 8

Estudioso discípulo do Espiritismo nos propôs a seguinte indagação: que revelações novas teriam os amigos espirituais em favor do aperfeiçoamento interior nessa hora de tantas lutas na humanidade?

Em resposta a seu pedido sincero de aprender, registramos os textos aqui discorridos. Não constituem novidades, e sim um enfoque prático para velhas questões morais que absorvem quantos anseiam pela melhoria de si mesmos.

Nossa proposta é apresentar algumas ideias-chave para fins de meditação e autoaferição, ou ainda para estudos em grupos que anseiam por buscar respostas sobre as intrigantes questões da vida interior. Se não entendermos realmente a razão de nossas atitudes, não reuniremos condições indispensáveis para o serviço renovador de nós mesmos.

A capacidade de administrar o mundo objetivo torna-se a cada dia mais precisa e rica de tecnologia para melhor eficácia nos resultados, todavia, a inabilidade na gerência do mundo íntimo é comprovada, a todo instante, pelos atestados de descontrole e insatisfação que o homem tem demonstrado em sua vida pessoal. Homens vencedores edificam pontes maravilhosas que se tornam cartões-postais no mundo inteiro, porém, nem sempre dominam a arte de construir um singelo fio de atenção que possa estabelecer uma ponte entre ele e seu próximo, diminuindo a distância que os separa. Cirurgiões habilidosos transplantam órgãos sensíveis com precisão e controle nos dedos, no entanto, constantemente se desequilibram quando pequeno talher escapa das singelas mãos de seu filho, gerando perturbação e mal-estar na prole.

Se a essência da proposta educativa do Espiritismo é a melhoria espiritual pela reforma íntima, essa, por sua vez, tem por objetivo elementar libertar a consciência dos grilhões do ego para que possa brilhar com exuberância, sem as sombras que teimam em ofuscá-la. Travamos, ao iniciar a renovação de nós mesmos, uma batalha entre ego e consciência nos rumos da conquista do *self* definitivo e glorioso.

Reforma íntima! Eis o tema predileto dos adeptos do Espiritismo no vastíssimo conjunto de assuntos elevados que nos desafiam o entendimento do ponto de vista do espírito imortal. Apesar de sua predileção, constata-se que a assiduidade com a qual é tratada não lhe tem garantido noções mais dilatadas que permitam o esforço consciente na transformação da personalidade humana.

Nessa ótica, detalhemos alguns conceitos sobre reforma íntima que merecem ser resgatados no seu melhor entendimento:

É uma construção gradativa de valores, visando à solidificação de qualidades eternas.

É uma proposta de plenitude, e não de derrotismo. É fazer mais luz para varrer as sombras. Muitos, porém, acreditam que luz se faz extinguindo as trevas...

É a formação do homem de bem. Não se trata de deslocar vícios e colocar virtudes. É dada muita importância às imperfeições nos ambientes da Doutrina, quando deveríamos falar mais das virtudes do homem de bem.

É um processo libertador da consciência. Não se trata de vencer o ego, mas conquistá-lo pelo domínio natural da voz divina que ecoa em nossa intimidade.

Reforma íntima não deve ser entendida apenas como contenção de impulsos inferiores. Muito além disso, torna-se urgente analisá-la como o compromisso de trabalhar pelo desenvolvimento dos autênticos valores humanos na intimidade. Circunscrevê-la a regimes de disciplina pela vigilância e vontade poderá instituir a cultura do martírio e da tormenta como quesitos indispensáveis ao seu dinamismo.

Contenção é aglutinação de forças de defesa contra a rotina mental dos reflexos do mal em nós, todavia, somente a edificação da personalidade cristã, fértil de qualidades morais nobres, permitirá a paz interior e o serviço de libertação definitiva para além da morte corporal. Por essa razão, entre os seguidores da mensagem espírita urge difundir noções mais lúcidas sobre o nível de comprometimento a que devem se afeiçoar todos os seus aprendizes. Apenas evitar o mal não basta, é imperioso fazer todo o bem ao nosso alcance. A reforma de profundidade exige devoção integral aos deveres da espiritualização, onde quer que estejamos, criando condições para vivências íntimas que assegurem revoluções afetivas revitalizadoras e motivadoras a rumos mais vastos na ação e na reação: é a criação de condicionamentos novos e elevados.

Assim como o corpo não extirpa partes adoecidas, mas procura harmonizá-las ao todo, a alma procede seu crescimento dentro do princípio de reaproveitamento de todas as experiências infelizes.

Quem busca o autoaprimoramento tem como primeiro desafio o encontro consigo mesmo. A ausência de ideias claras a nosso respeito constitui pesado ônus a ser superado, o qual tem levado corações sinceros e bem-intencionados a dolorosos conflitos mentais com a melhora individual, instaurando um doloroso processo de martírio a si mesmo.

Não existe reforma íntima sem dor, razão pela qual será oportuno discernir quais são as dores do crescimento e quais são as que decorrem de nossa incapacidade de lidar com as forças ignoradas da vida subjetiva em nós mesmos. A distinção entre ambas tornará nosso programa de melhoria pessoal um tanto mais eficaz e menos doloroso.

Fala-se muito do homem velho e quase nada sobre como consolidar o homem novo. Dominados pelo mau hábito de destacar suas doenças espirituais, criou-se um sistema neurótico de supervalorização das imperfeições morais que tem conduzido muitos espiritistas à condição de autênticos hipocondríacos da alma.

Conter o mal é parte do processo transformador; construir o bem é a etapa nova que nos aguarda.

Bem além de controle, educação.

Acima de disciplina com inclinações, desenvolvimento de qualidades inatas.

Maturidade pode ser definida pela capacidade individual de ouvir a consciência em detrimento dos apelos do ego. Quanto mais fizermos isso, mais seremos maduros e libertos. A saúde é estar em contato pleno com a consciência, e a doença é a escravidão ao ego. Reformar-se é tomar consciência de si mesmo, da perfeição latente à qual nos destinamos. Em outras palavras, estamos enaltecendo o ato da autoeducação.

Foi o notável Jung quem afirmou: "até onde podemos discernir, o único propósito da existência humana é acender uma luz na escuridão do mero ser".[6]

Imperioso que acendamos essa luz, a luz que promana da autocrítica, sem a qual não nos educaremos.

E como exercer um juízo crítico honesto sem conhecimento das artimanhas da velha personalidade que geramos?

---
6   Memórias, Sonhos e Reflexões - Capítulo Sobre a vida depois da morte, Nova Fronteira - Rio de Janeiro.

Senso crítico é, portanto, um dos pilares essenciais para a formação da autoconsciência, o qual nos permitirá desvendar as trilhas em direção aos tesouros divinos incrustados em pleno coração dessa selva de imperfeições que trazemos do evo.

Apresentamos nesta obra alguns mapas para desbravar essa selva com segurança. Rotas para velhos temas morais já conhecidos de todos nós, mas que nem sempre conseguimos trazer à intimidade do entendimento satisfatório, atendendo ao anseio exuberante que espraia de nossas almas na construção da personalidade nova.

Decerto, como todo mapa, os caminhos para se atingir o destino são variados e pessoais, conforme a ótica e a escolha de cada qual, e por esse motivo entregamos todas as nossas abordagens com total despretensão quanto a resultados. Todavia, como a peregrinação pelos vales sombrios da nossa intimidade é repleta de imprevistos e ciladas, não abdicamos da palavra clara e sincera, acrescendo alguns exemplos de histórias dolorosas de quantos foram iluminados pela luz da Doutrina Espírita sem iluminarem a si mesmos com a luz da experiência e da renovação.

Jamais nos moveu a intenção de que nossas considerações aqui exaradas pudessem constituir um roteiro de orientação ou uma tese didática sobre o tema com o objetivo de traçar normas de conduta. Para nós não ultrapassam a condição de sugestões para diálogo em grupo ou meditações individuais. Nossos textos são um início de conversa, um ponto de partida para que vós outros na Terra empreendam a discussão livre e salutar sobre os caminhos da transformação humana à luz do Espírito Imortal. Nosso coração estará sempre onde existirem os diálogos francos e produtivos acerca desse tema.

Sem pessimismo algum, mensurar a condição pessoal sem conhecimento pleno das histórias contidas em nossas fichas reencarnatórias é, quase sempre, proceder a uma análise míope das condições espirituais autênticas que cercam nosso trajeto nos milênios. Por isso, palpitam muitas ilusões no terreno da nossa luta reeducativa, no plano físico ou fora dele. "Em princípio, o homem que se exalça, que ergue uma estátua à sua própria virtude, anula, por esse simples fato, todo mérito real que possa ter."

Nossas reflexões destinam-se a uma autoavaliação. Sem uma incursão sincera no nosso mundo interior a fim de aquilatar o que somos e não somos, corremos o severo risco de repetir as múltiplas histórias que temos acompanhado por aqui, na vida imortal, na qual o coração bafejado pelas concepções doutrinárias acalenta uma miragem de si mesmo para além de suas reais proporções, tendo de se olhar, sem refúgios, no espelho da imortalidade amargando doloroso processo de desilusão.

Buscamos nossa inspiração em *O Evangelho Segundo o Espiritismo* – repositório ético para a felicidade humana e incomparável manancial de inspiração superior –, no qual encontramos inesgotável fonte de instrução e consolo dos Bondosos Guias da Verdade, em favor dos roteiros dos homens ante suas provas e expiações. Consideremo-lo como sendo um receituário moral para todas as necessidades humanas na Terra.

Entregamos nossos apontamentos com alegria aos leitores e amigos, esperançosa de que a celeste misericórdia multiplique nossas migalhas de amor, saciando a fome da alma com bênçãos de paz e estímulo na aquisição da consciência de si mesmo.

Afetuosamente,

Ermance Dufaux
Belo Horizonte, fevereiro de 2003

Capítulo 1

Dores do martírio

"Não imagineis, portanto, que, para viverdes em comunicação constante conosco, para viverdes sob as vistas do Senhor, seja preciso vos cilicieis e cubrais de cinzas.

Não consiste a virtude em assumirdes severo e lúgubre aspecto, em repelirdes os prazeres que as vossas condições humanas vos permitem."

O Evangelho Segundo o Espiritismo
Capítulo 17 - item 10

No capítulo do crescimento espiritual torna-se essencial distinguir o que são as dores do crescimento e as dores do martírio. Não existe reforma íntima sem sofrimento, mas martírio é uma forma de autopunição, são penitências psicológicas que nos impomos como se, com isso, estivéssemos melhorando.

Em razão do complexo de inferioridade que assola expressiva parcela das almas na Terra, e cientes de que semelhante vivência psicológica se deve ao nosso voluntário afastamento de Deus, ao longo das etapas evolutivas, fazendo-nos sentir inseguros e impotentes, hoje criamos as capas mentais para nos sentirmos minimamente bem e levar avante o desejo de existir e viver. Essas capas são as estruturas do eu ideal que nos levam a crer sermos mais do que realmente somos, uma defesa contra as mazelas que não queremos aceitar em nós mesmos.

A melhoria íntima autêntica ocorre pelo processo de conscientização, e não pelas dores decorrentes de cobranças e conflitos interiores, que instalam circuitos fechados e pane na vida mental.

Sem dúvida, todos sofremos para crescer; martírio, no entanto, é o excesso que nasce da incapacidade de gerir com equilíbrio o mundo emotivo, assumindo proporções e faces diversificadas conforme o temperamento e as necessidades de cada qual. Não o confundamos também com sacrifício – ato que ocasiona dores intensas com o objetivo de alcançar alguma meta ou superar alguma dificuldade.

O que define a condição psíquica de martirizar-se é o fato de se crer no desenvolvimento de qualidades que, de fato, não estão sendo trabalhadas na intimidade. São as dores impostas a nós mesmos pelas atitudes de desamor, quando acreditamos no eu ideal e negamos ou fugimos do eu real.

Quase sempre as dores do martírio decorrem de não querermos experimentar as dores do crescimento. Um exemplo típico é quando somos convocados a examinar certa imperfeição apontada por alguém e, entre a dor da autoavaliação e a dor da negação, preferimos a segunda, a qual integra a lista das dores-excesso.

Dentre as formas autopunitivas mais comuns, destacamos que a maneira pela qual reagimos a nossos erros tem sido um canal de acesso a infinitas dimensões expiatórias. Muitos corações transformam o erro e a insatisfação com suas experiências em quedas lamentáveis e irrecuperáveis, quando a escola da vida é um gesto de sabedoria e complacência, convidando sempre a nos reerguer e recomeçar perante os insucessos do caminho.

Quando se diz "não posso mais falhar" será mais difícil a conquista de si mesmo. Dessa forma começamos a conhecer os grandes inimigos do autoamor no nosso íntimo. Um deles é o perfeccionismo – uma das fontes de martírio que costumam dizimar a energia de muitos aprendizes da espiritualização. Querendo se transformar, partem para um processo de não aceitação de si mesmos e de autorreprovação muito cruel, inclinando-se para a condenação. A questão não é de lutar contra nós mesmos, e sim conquistar essa parte enferma, recuperá-la, e isso jamais conseguiremos se não aprendermos a amar esse nosso lado doentio.

Essa forma inadequada de reagir a nossos erros abre porta para muitas consequências graves, e às vezes maiores que o próprio erro em si, tais como: estado íntimo de desconforto e desassossego quase permanente, torturante sensação de perda de controle sobre a existência, baixa tolerância à frustração, ansiedade de origem ignorada, medos incontroláveis de situações irreais, irritações sem motivos claros, angústia perante o porvir com aflição e sofrimento por antecipação, excesso de imaginação ante fatos corriqueiros da vida, descrença no esforço de mudança e nas tarefas doutrinárias, mau humor, decisões infelizes no clima emotivo de confusão mental, intenso desgaste energético decorrente de conflitos, desânimo – são algumas dores do martírio.

Quando permanecem prolongadamente, esses estados psicológicos configuram uma auto-obsessão que pode atingir o campo do vampirismo e de ilimitadas doenças físicas.

Poder-se-ia indagar a origem mais profunda de tantas lutas e teríamos de vagar por um leque de alternativas tão amplo quanto são as individualidades. Todavia, para nossos propósitos deste momento, convém refletirmos sobre uma das mais pertinentes atitudes que têm levado os discípulos espíritas aos sofrimentos voluntários com seu processo de interiorização. Sejamos claros e evitemos subterfúgios, para o nosso bem. O culto à dor tornou-se uma constante nos ambientes espíritas. Condicionou-se a ideia de que sofrer é sinônimo de crescer, de que sofrer é resgatar, quitar. Portanto, passou-se a compreender a dor punitiva como instrumento de libertação, quando, na verdade, somente a dor que educa liberta. Há criaturas dotadas de largas fatias de conhecimento espiritual sofrendo intensamente, mas que continuam orgulhosas, insensatas, hostis e rebeldes.

Não é a intensidade da dor que educa, e sim o esforço de aprender a amenizá-la.

O espírita costuma neurotizar a proposta da reforma íntima. É a neurose de santificação, um modo imaturo de agir em razão da ausência de noções mais profundas sobre sua verdadeira realidade espiritual. Constatamos que existe muita impaciência com a reforma íntima por causa da angústia causada ao espírito por entrar em contato com sua verdadeira condição diante do Universo. Cria para si mesmo, por meio de mecanismos mentais, as virtudes de adorno ou compensações artificiais a fim de sentir-se valorizado perante a própria consciência e o próximo. São os esconderijos psíquicos nos quais quase sempre nos enfurnamos para não tomar contato com a verdade pessoal.

Essa neurotização da virtude gera um sistema de vida cheio de hábitos e condutas rígidas, a título de seguir orientações da doutrina. Adotam-se procedimentos que não são sentidos e avaliados pela arte de pensar. Isso nos desaproxima ainda mais da autêntica mudança, e passamos a nos preocupar com o que não devemos fazer, esquecendo o que devíamos estar fazendo. Certamente esse caminho gera martírio e ônus para a vida mental.

Existem muitas dores naturais no crescimento espiritual que estabelecem um processo crônico de pressão psicológica, entretanto, diferem muito da autoflagelação, porque elas impulsionam e fazem parte da grande batalha pela promoção de todos nós. Observa-se, inclusive, que alguns corações sinceros, inseridos no esforço autoeducativo, experimentam essa silenciosa expiação, mas, por desconhecerem os percalços do trabalho renovador, terminam por desistir de prosseguir e se atolam no desânimo. Acreditam-se piores quando constatam semelhantes quadros de dor psicológica e deduzem que, ao invés de progredirem, estão em plena derrocada. Diga-se de passagem, não são poucos os quadros que temos observado com essas características no seio do movimento doutrinário.

Frequentemente existe um trio de malfeitores da alma que a chicoteiam durante as etapas do amadurecimento, são eles: culpa, baixa autoestima e medo de errar. Apesar de serem sofrimentos psíquicos, funcionam como emuladores do progresso quando nos habilitamos a gerenciá-los. Assim, a culpa se transforma em autoaferição da conduta e freio contra novas quedas, a baixa autoestima se converte em capacidade de descobrir valores e o medo de errar se promove a valoroso arquivo de experiências e desapego de padrões.

Diante do exposto, indaguemos sobre quais seriam as medidas que deveriam ser implementadas nos núcleos educativos do Espiritismo em favor da melhor compreensão dos roteiros de transformação interior. Aprofundemos debates entre dirigentes sobre quais iniciativas poderiam ser facilitadas aos novos trabalhadores em favor de um aprendizado sem os torturantes conflitos originados da crueldade aplicada a nós mesmos, quando não somos criativos o bastante para lidar com nossa sombra e tombamos em martírios inúteis.

Reforma íntima deve ser considerada melhoria de nós mesmos, e não a anulação de uma parte de nós considerada ruim. Uma proposta de aperfeiçoamento gradativo cujo objetivo maior é a nossa felicidade.

Quem está na reforma interior tem um referencial fundamental para se autoanalisar ao longo da caminhada educativa, um termômetro das almas que se aprimoram; inevitavelmente, quem se renova alcança a maior conquista das pessoas livres e felizes: o prazer de viver.

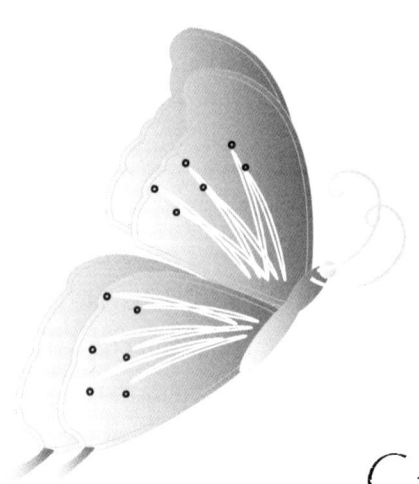

Capítulo 2

Ética da transformação

"Reconhece-se o verdadeiro espírita pela sua transformação moral..."

O Evangelho Segundo o Espiritismo
Capítulo 17 - item 8

A reforma íntima é um trabalho processual. Processual significa aquilo que obedece a uma sequência. Em conceito bem claro, é a habilidade de lidar com as características da personalidade melhorando os traços que compõem suas formas de manifestação. Caráter, temperamento, valores, vícios, hábitos e desejos são alguns desses caracteres que podem ser renovados ou aprimorados.

Nessa saga de mutação e crescimento, o maior obstáculo a transpor é o interesse pessoal, o conjunto de viciações do ego repetido durante variadas existências corporais e que cristalizaram a mente nos domínios do personalismo.

O hábito de atender incondicionalmente às imposições dos desejos e aspirações pessoais levou-nos à cruel escravização, da qual muito será exigido nos esforços reeducativos para nos libertarmos do império do eu.

Negar a si mesmo ou despersonificar-se, esvaziar-se de si mesmo, tirar a máscara é o objetivo maior da renovação espiritual. Esse o grande desafio a ser seguido por todos os que se comprometeram com seriedade nas nobres finalidades do Espiritismo com Jesus e Kardec.

Extenso será esse caminho reeducativo na vitória sobre nossa personalidade manhosa e talhada pelo egoísmo...

O meio prático e eficaz de consegui-lo, conforme ensinam os Bons Espíritos da codificação, é o conhecimento de si mesmo.[7]

Entretanto, para levar o homem ao aprimoramento, o autodescobrimento exige uma nova ética nas relações consigo mesmo e com a vida: é a ética da transformação, sem a qual a incursão no mundo íntimo pode estacionar em mera atitude de devassar a subsconsciência sem propósitos de mudança para melhor. O Espiritismo é inesgotável manancial no alcance desse objetivo. Seu conteúdo moral é autêntico celeiro de rotas para quantos desejem assumir o compromisso de sua transformação pessoal com segurança e equilíbrio. Sem psicologismo nem atitudes de superfície, a Doutrina Espírita é um tratado de crescimento integral que esquadrinha os vários níveis existenciais do ser da ótica imortalista.

Nem sempre, porém, verifica-se tanta clareza de raciocínio entre os espiritistas acerca dessa questão. Conceitos mal formulados sobre o que seja a renovação interior têm levado muitos corações sinceros a algumas atitudes de puritanismo e moralismo que não correspondem ao lídimo trabalho transformador da personalidade em direção aos valores capazes de solidificar a paz, a saúde e a liberdade na vida das criaturas. Por esse motivo, será imperioso que as agremiações do mundo erguidas em nome do Espiritismo ou aquelas que expandam a luz da espiritualização entre os homens investiguem melhores noções sobre a ética da transformação, a fim de oferecer a seus seguidores uma base mais cristalina sobre os caminhos e obstáculos no serviço da iluminação de si mesmos.

A prática essencial e meta fundamental dos ensinos dos Bons Espíritos é a melhoria da humanidade, a formação do homem de bem. O Espiritismo, em verdade, está nos elos que criamos

---

7   O Livro dos Espíritos - Questão 919.

uns com os outros e que passam a fazer parte da personalidade nova que estamos esculpindo com o buril da educação. As práticas doutrinárias são recursos didáticos para o aprendizado do amor – finalidade maior de nossa causa. Na falta do amor, as práticas perdem seu sentido divino e primordial.

Em face dessas reflexões, evidencia-se a urgência da edificação de laços de afeto nos grupamentos humanos, no intuito de fixarmos na intimidade as mensagens do Evangelho e do bem universal. Afeto é a seiva vitalizadora dos processos relacionais e o construtor de sentidos nobres para a existência dos homens.

O autoconhecimento, por meio das luzes de imortalidade que se estendem dos fundamentos espíritas, é um mapa de como chegar ao eu verdadeiro, à consciência. Todavia, essa viagem não pode ser feita somente com o mapa. Necessita de suprimentos morais preventivos e fortalecedores, precisa de uma ética de paz consigo mesmo. Somente se conhecer não basta, é necessário um intenso labor de autoaceitação para não cairmos nas garras de perigosas ameaças nessa viagem de retorno a Deus, cujas mais conhecidas são a culpa, a autopunição e a baixa autoestima, as quais estabelecem o clima psicológico do martírio. É preciso uma ética que assegure à transformação pessoal um resultado libertador de saúde e harmonia interior. Tomar posse da verdade sobre si mesmo é um ato muito doloroso para a maioria das criaturas.

À guisa de sugestões maleáveis, consideremos alguns comportamentos que serão efetivos roteiros de combate, vigília e treinamento para a instauração das linhas éticas no processo autotransformador:

Postura de aprendiz – jamais perder o viçoso interesse em buscar o novo, o desconhecido. Sempre há algo para aprender e conceitos a reciclar. A postura de aprendiz se traduz no ato da curiosidade incessante, que brota da alma como sendo a sede de entender o universo e nossa parte na dança dos ritmos cósmicos. Romper com os preconceitos e fugir do estado doentio da autossuficiência.

Observação de si mesmo – é o estudo atento de nosso mundo subjetivo, o conhecimento das nossas emoções, o não julgamento e a autoavaliação constante. Tendemos a avaliar o próximo e a esquecer do serviço que nos compete. No entanto, relembremos que perante a imortalidade só responderemos por nós, no que tange ao serviço de edificação dos princípios do bem na intimidade.

Renúncia – a mudança íntima exige uma seletividade social dos ambientes e costumes, em razão dos estímulos que produzem reflexos no mundo mental. No entanto, a renúncia deve se ampliar também ao terreno das opiniões pessoais e valores institucionais, para os quais, frequentemente, o orgulho nos ilude.

Aceitação da sombra – sem aceitação da nossa realidade presente poderemos instaurar um regime de cobranças injustas e intermináveis conosco e, posteriormente, com os outros. A mudança para melhor não implica destruir o que fomos, mas dar nova direção e maior aproveitamento a tudo o que conquistamos, inclusive nossos erros.

Autoperdão – a aceitação, para ser plena, precisa do perdão. Recomeço é a palavra de ordem nos serviços de transformação pessoal. Sem ela o sofrimento e o flagelo poderão estipular provas dolorosas para a alma. É uma postura de perdão às faltas que cometemos, mas que gostaríamos de não cometer mais.

Cumplicidade com a decisão de crescer – o objetivo da renovação espiritual é gradativo e exige devoção. Não é serviço para fins de semana durante nossa presença nas tarefas do bem, mas serviço continuado a cada instante da nossa vida, onde estivermos. Somente assumindo com muita seriedade esse desafio o levaremos avante. Imprescindível a atitude de comprometimento com a meta de crescimento que assumimos. Somos egressos de experiências frustradas no desafio do aperfeiçoamento pessoal, portanto, muito facilmente somos atraídos para ilusões variadas. Somente com severidade e muita disciplina construiremos o homem novo almejado.

Vigilância – é a atitude de cuidar da vida mental. Cultivar o hábito da higiene dos pensamentos, da meditação no conhecimento de si mesmo, da absorção de nutrição mental digna nas boas leituras, conversas, diversões e ações sociais. Vigilância é a postura da mente alerta, ativa, sempre voltada para ideais enriquecedores.

Oração – é a terapia da mente. Sem oração dificilmente recolheremos os germens divinos do bem que constituem as correntes de Energia Superior da Vida. Por meio dela, igualmente, despertamos na intimidade forças nobres que se encontram adormecidas ou sufocadas por nossos descuidos de cada dia.

Trabalho – os Sábios Guias da codificação asseveram que toda ocupação útil é trabalho.[8] Dar utilidade a cada momento do nosso dia é sublime investimento de segurança e defesa no projeto de crescimento interior.

Tolerância – toda evolução é concretizada na tolerância. Deus é tolerância. Há tempo para tudo e tudo tem seu momento. Os objetivos da melhoria requerem essa complacência para conosco a fim de que haja mais resultados satisfatórios. Complacência não significa conivência ou conformismo, mas caridade com nossos esforços.

---
8   O Livro dos Espíritos - Questão 675.

Amor incondicional – aprender o autoamor é o maior desafio de quem assume o compromisso da reforma íntima, porque a tendência humana é desgostar de sua história de evolução ao tomar consciência do ponto em que se encontra ante os Estatutos Universais da Lei Divina. Sem autoamor a reforma íntima se reduz a tortura íntima. Aprender a gostar de si mesmo, independentemente do que fizemos no passado e do que queremos ser no futuro, é estima a si mesmo, um estado interior de júbilo com nosso retorno lento, porém gradativo, para uma identificação plena com o Pai.

Socialização – se o interesse pessoal é o grande adversário de nosso progresso, então a ação em grupos de educação espiritual será excelente medicação contra o personalismo e a vaidade. Destaquemos, assim, o valor das tarefas doutrinárias regadas de afetividade e bom-senso moral. São treinamentos na aquisição de novos impulsos.

Caridade – a socialização pode imprimir novos impulsos e reflexões no terreno da vida mental; a caridade é o dínamo de sentimentos nobres que secundará o processo socializador, levando-o ao nível de abençoada escola do afeto e revitalização dos ensinamentos espíritas.

Conviveremos bem com os outros na proporção em que estivermos convivendo bem conosco mesmos. A adoção de uma ética de paz, no transcorrer da metamorfose de nós mesmos, será medida salutar no alcance das metas que almejamos, ao tempo em que constituirá garantia de bem-estar e motivação para a continuidade do processo.

O exercício de negar a si mesmo não inclui o descuido ou descrédito pessoal, confundindo a sombra que precisamos reciclar com necessidades pessoais que não devemos desprezar, para o bem-estar e equilíbrio. Cuidemos, apenas, de vincular essas necessidades aos novos rumos que escolhemos. Fazemos essa menção porque muitos corações queridos do ideal supõem que reformar é negar ou mesmo castigar a si mesmo, quando o objetivo do projeto de mudança espiritual é tornar o homem mais feliz e integrado à sua divina tarefa perante a vida.

Nos celeiros de luz dos ensinamentos do Evangelho, verificamos um exemplo de rara beleza e oportunidade que servirá como diretriz segura para a despersonificação dos servidores do Cristo na obra do amor: Ananias, o apóstolo chamado para curar os olhos do Doutor de Tarso. Quando o Mestre o chama pelo nome, o colaborador humilde, com prontidão e livre dos interesses pessoais, responde sadiamente: "Eis-me aqui, Senhor!"[9]

O nome dessa virtude, no dicionário cristão, é disponibilidade para servir e aprender, o programa ético mais completo e eficaz para quantos desejam a autoiluminação.

---
9 Atos, 9:10.

Capítulo 3

Projeto de vida

"O amor aos bens terrenos constitui um dos mais fortes óbices ao vosso adiantamento moral e espiritual. Pelo apego à posse de tais bens, destruís as vossas faculdades de amar, com as aplicardes todas às coisas materiais."

O Evangelho Segundo o Espiritismo
Capítulo 16 - item 14

Materialismo é o estado íntimo que estabelece a rotina mental da esmagadora maioria das mentes no plano físico, focando os interesses humanos, exclusivamente, naquilo que fere os cinco sentidos. Posturas e noções culturais se desenvolvem nesse estado, levando a criatura a adotar o mundo das sensações corporais como sendo a única realidade.

O materialismo tem como base afetiva o sentimento de segurança e bem-estar, expresso comumente por vínculos de apego e posse. Os reflexos mais conhecidos desses vínculos afetivos com a vida material são a dependência e o medo, respectivamente.

Em essência, o interesse central de todo materialista é tornar a vida uma permanência, manter para sempre o elo com todas as criações objetivas que lhe pertençam, sejam coisas ou pessoas. Contudo, a vida é regida pela Lei da Impermanência. Tudo é transformação e crescimento. Algumas palavras que asseguram uma linha moral condizente com essa Lei são: maleabilidade, incerteza, relativização, diversidade, ecletismo, pluralismo, alteridade, desprendimento, fraternidade, amor.

A volta do homem à vida corporal tem por objetivo o seu melhoramento, o engrandecimento de seus conceitos ainda tão reduzidos da ótica das ilusões terrenas. Compreender que é um binômio corpoalma, que tem um destino, a perfeição, e que a vida na Terra é um aprendizado é a lição que permitirá ao homem romper com os estreitos limites da visão materialista. Semelhantes conquistas interiores exigem preparo e devotamento a fim de se consolidarem como valores morais, capazes de levá-lo a cultivar projetos enobrecedores com os quais possa, pouco a pouco, renovar seus hábitos de vida.

Muito esforço será pedido para o desenvolvimento dessas qualidades espirituais no coração humano.

Uma semana na Terra é composta de dez mil e oitenta minutos. Tomando por base noventa minutos como o tempo habitual de uma atividade espiritual voltada para a aquisição de noções elevadas, e ainda levando em conta que raramente alguém ultrapassa o limite de duas ou três reuniões semanais, encontramos um coeficiente de, no máximo, duzentos e setenta minutos de preparo para a implementação da renovação mental, ou seja, pouco menos de três por cento do volume de tempo de uma semana inteira. São nesses momentos que se angariam forças para interromper a rotina mental do homem comum. Por isso necessitamos tanto das tarefas espíritas para fixar valores, desenvolver novos hábitos e alimentar a mente com novas forças, tendo em vista a espiritualização a qual todos devemos buscar em favor da felicidade e da paz.

A superação da rotina materialista exige esforço, mas também metas, ideais, comprometimento.

Por isso a melhora espiritual não pode se circunscrever a práticas religiosas ou a momentos de estudo e oração. Imperioso será assumirmos o compromisso de mudança e elevação conosco mesmo, senão tais iniciativas podem reduzir-se facilmente a experiências passageiras de adesão superficial, sem raízes profundas nas matrizes do sentimento.

A reforma íntima solicita fazer de nossa vida um projeto. Um projeto de cumplicidade e amor!

Projeto de vida é o outro nome da religião íntima, a da atitude, do comprometimento. Sem isso, como esperar que a simples frequência aos serviços do bem, nas fileiras da caridade e da instrução, sejam suficientes para renovar nossa personalidade construída em milênios de repetição no amor aos bens terrenos?

Um projeto de mudança espiritual não será tarefa infantil de traçar metas imediatistas, de fácil alcance, para nos causar a sensação de que aprimoramos com rapidez, mas sim o resultado do esforço pessoal em comprometer-se com ideais que motivem o nosso progresso e que, a um só tempo, constituam a segurança contra o desânimo e a invigilância. Ideais esses que se apresentam sempre em nossa caminhada como convites da Divina Providência para que possamos sair do lugar-comum. Razão pela qual sempre encontraremos obstáculos e pedregais nas sendas da renovação espiritual. Isso porque aquele que realmente se eleva não deixa de causar mudança no meio onde estagia, atraindo para si todas as reações favoráveis e desfavoráveis aos ideais de ascensão. Isso faz parte de todo processo de espiritualização. Não há como não haver reações que podem ser, algumas vezes, sinais de que nos encontramos em boa direção...

Cumplicidade e comprometimento são as palavras de ordem no desafio do autoburilamento.

Evitemos, assim, confundir a simples adesão a práticas doutrinárias ou ainda o acúmulo de cultura espiritual como sendo iluminação e adiantamento, quando nada mais são que estímulos valorosos para o crescimento. Lembremos que só terão valor real, na nossa libertação, se deles soubermos extrair a parte essencial que nos compete interiorizar no fortalecimento de nosso projeto de vida no bem.

Lacordaire é muito lúcido ao afirmar que destruímos as faculdades de amar quando as reduzimos aos bens materiais. O cultivo da paixão ao adiantamento espiritual é a solução para todos os problemas da humanidade terrena, e o único caminho para um mundo melhor. Quando aprendemos isso, verificamos que a existência, mesmo que salpicada de problemas e dores, tem luz e vida porque plantamos na intimidade a semente imperecível do idealismo superior, o qual ninguém pode nos roubar.

Capítulo 4

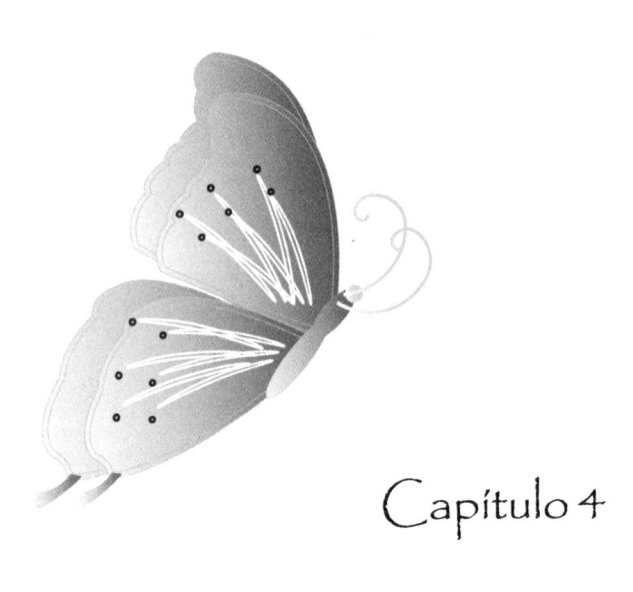

O que procede do coração

"Escutai e compreendei bem isto: Não é o que entra na boca que macula o homem; o que sai da boca do homem é que o macula. – O que sai da boca procede do coração e é o que torna impuro o homem;"

O Evangelho Segundo o Espiritismo
Capítulo 8 - item 8

Dentre os velhos inimigos a burilar na caminhada evolutiva, as tendências que assinalam nosso estágio de aprendizado espiritual constituem fortes impulsos da alma que desviam o ser de seu trajeto natural na aquisição das virtudes.

Tendências são inclinações, pendores que determinam algumas características comportamentais da personalidade. Muitas delas foram adquiridas em várias etapas reencarnatórias e sedimentam o sistema de valores, com o qual a criatura faz suas escolhas na rotina da existência.

Entre essas inclinações, vamos encontrar a adoração exterior como sendo hábito profundamente arraigado na mente, determinando forte vocação para a ritualização, o místico e a valorização de tradições religiosas, por meio das quais o homem faz seu encontro com Deus.

Muito natural que nos dias atuais as manifestações exteriores em relação à divindade prevaleçam na humanidade terrena, considerando que o seu trajeto espiritual se encontra bem mais perto da animalidade que da angelitude.

Nesse sentido, é interessante analisar que, mesmo nas fileiras da doutrina da fé raciocinada, encontra-se a maioria de seus adeptos engalfinhada em vigorosas reminiscências que fizeram parte das movimentações da alma nas vivências das religiões tradicionais. Atrofiamento do raciocínio, supervalorização dos valores institucionais, engessamento de conceitos, sensação de missionarismo religioso, atitude de supremacia da verdade, idolatria a seres superiores, submissão de conveniência a líderes, relação de absolvição ou penitência com práticas espíritas, desvalorização de si mesmo em razão da condição de pecador, condutas puritanas perante a sociedade e seus costumes, cultivo de comportamentos moralistas, confusão entre pureza exterior e renovação íntima, essas são algumas tendências que se apresentam aos nossos celeiros espíritas, remanescentes de fortes condicionamentos psíquicos. Semelhantes caracteres imprimiram um padrão de práticas e conceitos no movimento espírita que, de alguma forma, estipulam referências a ser adotadas por seus seguidores.

Com todo respeito e fraternidade, necessitamos urgentemente ter a coragem de avaliar com sinceridade as influências "éticas" perniciosas dessas tendências no quadro de nossas vivências espiritistas. São reflexos inevitáveis do crescimento evolutivo que ninguém pode negar, mas daí a aceitá-las sem nenhum esforço de melhoria é conivência e covardia. Torná-las uma referência religiosa pela qual se deva reconhecer o verdadeiro seguidor do Espiritismo é uma atitude recheada de ancestralidade e hipocrisia.

A comunidade espírita, que tantas benfeitorias tem prestado ao mundo, carece de uma reavaliação global em sua estrutura no que tange à noção de comprometimento. Convém que os líderes mais sensibilizados instiguem a formação da cultura da franqueza com fraternidade e clareza, no intuito de estabelecer uma oxigenação na sementeira para obtenção de mais qualidade nos frutos.

Muitos companheiros, os quais merecem nossa compreensão, costumam disseminar a concepção de que tudo deve correr conforme os acontecimentos, e justificam-se com a frase: "Se fazendo assim está dando certo, por que mudar?" Em verdade, o que deveríamos pensar é: "Se fazendo assim estamos colhendo algo, então quanto não colheríamos se fizéssemos melhor, se nos abríssemos às renovações que a hora reclama?"

Há uma acomodação lamentável que precisa ser aferida. A noção espírita de comprometimento foi lamentavelmente assaltada pelas velhas tendências de conseguir o máximo fazendo o mínimo. É a devoção exterior, a influência marcante da personalidade impregnada de religiosismo estéril querendo tomar conta da cabeça e do coração daqueles que estão sendo chamados a novos e mais altaneiros compromissos na espiritualização de si mesmos e da comunidade onde floresceram.

Frágil padrão de validação da conduta espírita tem tomado conta dos costumes entre os idealistas. Enraizou-se o axioma "espírita faz isso e não faz aquilo", que tenta enquadrar o valor das ações em padrões de insustentável bom-senso. Padrões, como seria óbvio, que sofrem as fantasias do homem velho, habituado a sempre rechear com facilidades seu caminho em direção ao Pai, a fim de não ter de se enfrentar e assumir a árdua batalha contra suas ilusões enfermiças.

É assim que vamos notando uma supervalorização de coisas, como a não adoção de alimentação carnívora, a impropriedade de frequentar certos ambientes sociais, a fuga da ação política, a análise da vida dissociada das ciências e conquistas humanas, a interminável procura do passe como instrumento de melhoria espiritual ao longo de anos a fio, não chorar em velórios, distanciamento da riqueza como se fosse um mal em si mesma, cenho carregado como sinônimo de responsabilidade, silêncio tumular nos ambientes espíritas. Se fumar, não é espírita; se separar matrimonialmente, tem a reencarnação fracassada; se ingerir alcoólicos, não pode ser considerado alguém em reforma; se for homossexual, não pode entrar no centro, e assim prosseguem as predisposições particulares que são estipuladas umas aqui, outras acolá.

Absolutamente não devemos desprezar o valor de todas essas questões, quando bem orientadas para o bom-senso e a lógica. Entretanto, nenhuma dessas posturas é referência segura sobre a qualidade de nossos sentimentos, o que parte do coração. O que sai do coração e passa pela boca é o critério de validação de nossa realidade espiritual. Por ele se conhece a verdadeira pureza, a pureza interior que é determinada pela forma como sentimos a vida que nos rodeia. E sobre esse assunto só temos condições de avaliar o que se passa no nosso íntimo, jamais o que vai no coração do outro.

A pureza exterior, sem dúvida alguma, pode ser um ensaio, um primeiro passo para o ingresso definitivo da Verdade em nosso coração. Todavia, amigos de ideal, pensemos se não estamos passando tempo demais na confortável zona do desculpismo, desejosos de facilitar para a consciência nossa noção sobre o que é ser espírita.

"...a qualquer que muito for dado, muito se lhe pedirá..."[10]

Em conclusão, convenhamos que há muitos companheiros queridos do nosso ideário satisfeitos com o fato de apenas evitarem o mal, entretanto, estejamos alertas para a única referência ética que servirá a cada um de nós no reino da alma liberta da vida física: fazer todo o bem que pudermos no alcance de nossas forças.[11] Para isso, somente trabalhando por uma intensa metamorfose no reino do coração, de onde procedem todos os males.

---
10 Lucas, 12:48.
11 O Livro dos Espíritos – Questão 770 a.

Capítulo 5

Sábia providência

"Para nos melhorarmos, outorgou-nos Deus, precisamente, o de que necessitamos e nos basta: a voz da consciência e as tendências instintivas. Priva-nos do que nos seria prejudicial."

O Evangelho Segundo o Espiritismo
Capítulo 5 - item 11

A natureza nos leva ao esquecimento do passado exatamente para aprendermos a descobrir em nosso mundo interior as razões profundas de nossos procedimentos, por meio da análise dos pendores e impulsos, interesses e atrações que formam o conjunto de nossas reações denominadas tendências.

A natureza nos presenteia com o mecanismo natural do esquecimento para que tenhamos a mínima chance e condição de elaborar essa autorreflexão, descobrir as motivações que sustentam nossos vícios milenares e conseguir a formação de reflexos afetivos novos.

Com a presença das recordações claras sobre os acontecimentos pretéritos, a mente estacionaria na vergonha e no remorso, no rancor e na mágoa, sem um campo propício para o recomeço, estabelecendo torvelinhos de desequilíbrio, como os dramas que são narrados por via psicográfica na literatura espírita.

Agenor Pereira, devotado seareiro espírita, encontrava-se desalentando com seus progressos na melhoria espiritual. Ansiava por ser alguém mais nobre e não cultivar sentimentos ruins ou se permitir impulsos que onerassem sua consciência. Fazia comparações com outros confrades e sentia-se o pior de todos diante das vitórias ou do estado de alegria que demonstravam perante a vida. Pensava ser o mais hipócrita dos espíritas. Angustiava-se com a ideia de ter tanto conhecimento e fazer tão pouco.

Desanimado consigo mesmo, após um momento de crise pediu ajuda aos bondosos guias espirituais. Ao anoitecer, fizera uma prece de desabafo apresentando ao Pai o seu cansaço com a reforma interior. Ao sair do corpo físico, foi levado por seu amigo espiritual a uma caverna escura e fétida na qual se arrastavam diversos sofredores no lamaçal psíquico do vício. Agenor teve um súbito desfalecimento e foi então, por sua vez, conduzido ao Hospital Esperança. Após se recuperar, foi-lhe concedida a oportunidade de consultar uma ficha resumida que dava notas a suas vivências reencarnatórias, que ele passou a ler nos seguintes termos:

"Agenor Pereira, agora reencarnado, peregrinou nas últimas seis existências por lamentáveis falências no terreno do sexo e da infidelidade afetiva. Somando-se o tempo, entre encarnações e desencarnações, esse período já conta seiscentos anos de viciações, desvarios e desenlaces prematuros. Foi retirado da caverna das viciações e amparado por equipes socorristas no Hospital Esperança. Sua tendência prejudicou mulheres honradas, corrompeu autoridades para aprisionar maridos traídos, deixou crianças abandonadas em razão da destruição de suas famílias. Sua insanidade provocou ódio e repulsa, crimes e infelicidade. Em face dos elos que os unem nos tempos, Eurípedes Barsanulfo avalizou-lhe o regresso ao corpo físico com a condição de ser a última existência com certas concessões para o crescimento em clima provacional-educativo. Sua grande meta existencial nesta última chance será vencer suas tendências aventureiras e imaturas. Conhecerá a Doutrina Espírita, receberá uma companheira confidente e terá as regalias de um lar em paz. Sua única e essencial vitória será o controle de suas impulsões maléficas, a fim de que seja, em posteriores existências, recambiado ao cenário dos crimes cometidos na reedificação das almas que prejudicou."

Na medida em que Agenor lia a ficha, imagens vivas lhe saltavam do campo mental, como se estivesse assistindo a cenas daquilo que fez. Terminada a leitura, um imenso sentimento de paz invadiu-lhe a alma e pôde perceber, com clareza, que seu anseio de reforma, inspirado em "modelos de perfeição espírita", na verdade, estava lhe prejudicando o esforço. Estava desejando a santificação, eis seu erro. Regressaria ao corpo mais feliz consigo e, embora não fosse desistir de ser alguém melhor, retiraria contra si mesmo o hábito enfermiço das cobranças injustificáveis e ferrenhas que o conduziam ao desânimo e à desolação. Pararia com as comparações recheadas de baixa autoestima e buscaria operar uma reavaliação totalmente sua, singular, única. Antes de retornar, consultou seus instrutores sobre os motivos pelos quais havia sido levado àquela caverna fétida. Foi, então, esclarecido:

"Agenor, você foi retirado daquele lugar, antes do retorno ao corpo, depois de mais de quarenta anos de dor. Ali se encontra, também, a maioria das pessoas que prejudicou, presas pelo ódio e pelas más recordações do passado. Certamente, elas dariam tudo para ter um cérebro a fim de esquecer o que lhes sucedeu, por um minuto que fosse."

Diante disso, Agenor ruborizou-se e regressou imediatamente ao corpo. Pensava no quanto a misericórdia o havia beneficiado, logo a ele que se fazia o pivô de um processo de atrocidades!

Ao despertar na vida corporal, trazia na alma um novo alento. Não guardava lembranças precisas, mas sabia-se muito amparado. Valorizava agora seu esforço e desejava abandonar de vez os padrões, dando o melhor de si. Amava com mais louvor o lar.

Guardava na alma a impressão de que uma missão o aguardava para o futuro e concentraria esforço em manter-se íntegro em seus ideais. Suas sensações e seus sentimentos são sintetizados na fala sábia do codificador: "Pouco lhe importa saber o que foi antes: se se vê punido, é que praticou o mal. Suas atuais tendências más indicam o que lhe resta a corrigir em si mesmo, e é nisso que deve concentrar toda a sua atenção, porquanto, daquilo de que se haja corrigido completamente, nenhum traço mais conservará".[12]

Que a historieta de nosso Agenor sirva de estímulo a todos nós em transformação. Se não conseguimos ainda eliminar certos ímpetos inferiores, mas evitamos as atitudes que deles poderiam nascer, guardemos na alma a certeza de que estamos no caminho do crescimento, arando o terreno para uma farta semeadura no futuro. Esperar colher sem plantar é ilusão. Não nos libertaremos dos grilhões do pretérito apenas na base de contenção e disciplina, contudo, esse pode ser um primeiro e muito precioso passo para muitos corações.

Muitos aprendizes inspirados nas propostas espíritas equivocam-se ostensivamente. Querem perfeição a baixo custo e entregam-se a reformas de metade. Insatisfeitos com os poucos resultados de seus esforços, atiram-se a autoavaliações impiedosas e descabidas. Terminam em desistência, por meio de fugas bem elaboradas pelas sombras dinâmicas e dotadas de inteligência que residem em sua subconsciência.

Sábia providência: o esquecimento do passado. *"...outorgou-nos Deus, precisamente, o de que necessitamos e nos basta: a voz da consciência e as tendências instintivas".* Com a consciência temos o rumo correto para aplicarmos o esforço educativo, com

---
12 *O Evangelho Segundo o Espiritismo* - Capítulo 5 - item 11.

as tendências instintivas temos as boias sinalizadoras para que saibamos nos conduzir dentro desse rumo. Em uma temos o futuro, em outra temos o passado cooperando para não desviarmos novamente do que nos espera.

Uma pálida noção do que fez Agenor em outras vidas, nessa situação específica, lhe fez muito bem. No entanto, imaginemos se ele, ao regressar ao corpo, trouxesse a recordação de que sua mãe teria sido uma dessas mulheres traídas, como se sentiria? Que seus filhos fossem algumas daquelas crianças abandonadas pelas famílias por ele destruídas, como reagiria? Ou, então, que viesse a saber que aqueles maridos traídos estavam agora ao seu lado, dividindo as tarefas doutrinárias em fortes crises de ciúme e ressentimento?

Se lembrássemos das vivências que esculpiram em nosso campo mental as tendências atuais, ficaríamos certamente na costumeira atitude defensiva, responsabilizando pessoas e situações por decisões e comportamentos que adotamos. Com isso, fugiríamos, mais uma vez, de averiguar com coragem nossa parcela de compromisso nos insucessos de cada passo e de recriar nossas reações perante os condicionamentos. Não sabendo a origem exata das nossas tendências, ficamos entregues a nós mesmos sem poder culpar ninguém nem nada. Temos em nós o resultado de nossas obras, eis a lei.

Quando atribuímos ao passado algo que não conhecemos ou não conseguimos compreender sobre nossas reações e escolhas, estamos nos furtando da investigação, nem sempre agradável, que deveríamos proceder para encontrar as razões de tais sentimentos na vida presente. O que sentimos hoje, tenha raízes no pretérito distante ou não, é do hoje e deve ser tratado como algo que guarda uma matriz na vida presente, que precisa de reeducação e disciplina. Assim nos pronunciamos porque muitos conhecedores da reencarnação, a pretexto de se distanciarem da responsabilidade pessoal, emprestam à teoria das vidas passadas uma explicação para certos impulsos da vida presente, desejosos de criar um álibi para desonerá-los das consequências de seus atos atuais. É o medo de terem de olhar e assumir para si mesmos que, venha do passado ou não, ainda sentem o que não gostariam de sentir e querem o que gostariam de não querer. Além disso, com essa postura, deixamos a nós mesmos uma mensagem subliminar do tipo: nada podemos fazer pela identificação desse impulso, gerando acomodação e a possibilidade de novamente falhar.

Toda vivência interior ocorre porque o nosso momento de conhecê-la é agora, do contrário não a experimentaríamos. Para isso não se torna necessário uma regressão às vidas anteriores na busca de recordações claras. Se pensarmos bem, vivemos imersos em constante regressão natural controlada pela Sábia Providência. Via de regra, estamos aprisionados ainda ao palco das lutas que criamos ou fruindo dos benefícios das escassas qualidades que desenvolvemos.

Viver o momento é viver a realidade. Por necessidade de controlar tudo, caminhamos para a frente ou para trás em lamentável falta de confiança na vida e em seus Sábios Regimentos.

A pensadora Louise L. Hay diz que o passado é passado e não pode ser modificado. Todavia, podemos alterar nossos pensamentos em relação ao passado.[13] Esta é a finalidade do esquecimento: alterar o que sentimos e pensamos sob a intensa coação dos instintos e tendências que ainda nos inclinam a retroceder e parar no tempo evolutivo.

---

13 *Você Pode Curar a sua Vida* - Louise L. Hay - p. 24 - Editora Best Seller, 44ª edição.

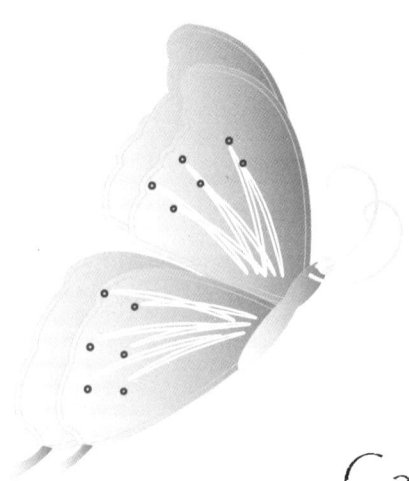

Capítulo 6

O grande aliado

"Reconciliai-vos o mais depressa possível com o vosso adversário, enquanto estais com ele a caminho, ..."

O Evangelho Segundo o Espiritismo
Capítulo 10 - item 5

Matar o homem velho, extinguir sombras, vencer o passado – expressões que comumente são usadas para o processo da mudança interior. Contudo, todos sabemos, à luz dos princípios universais das Leis Naturais, que não existe morte ou extinção, e sim transformação. Jamais matamos o homem velho, podemos, sim, conquistá-lo, renová-lo, educá-lo.

Não eliminamos nada do que fomos um dia, transformamos para melhor. Ao invés de ser contra o que fomos, precisamos aprender uma relação pacífica de aceitação sem conformismo, a fim de fazer do homem velho um grande aliado no aperfeiçoamento.

Portanto, as expressões que melhor significado apresentam para a tarefa íntima de melhoria espiritual serão *harmonia com a sombra* e *conquistar o passado*, que redundam em uma das mais belas e sublimes palavras dos dicionários humanos: educação.

Nossas imperfeições são balizas demarcatórias do que devemos evitar, um aprendizado que pode ser aproveitado para avançarmos. A postura de ser contra o passado é um processo de negação do que fomos, do qual a astúcia do orgulho aproveita para encobrir com ilusões acerca de nossa personalidade.

O ensino do Evangelho "Reconciliai-vos o mais depressa possível com o vosso adversário, enquanto estais com ele a caminho, ..." é um roteiro claro. Essa reconciliação depende da nossa disposição de encarar a realidade sobre nós mesmos, olhar para o desconhecido mundo interior, vencer as camadas de orgulho do ego, superar as defesas que criamos para esconder as sombras e partir para uma decidida e gradativa investigação sobre o mundo das reações pessoais, por meio da autoanálise, sem medo do que encontraremos.

Fazemos isso enquanto estamos no caminho carnal ou então as Leis Imutáveis da vida espiritual levar-nos-ão ao espelho da verdade, nos camarins da morte, no qual teremos de mirar as imagens reais daquilo que somos, despidos das ilusões da matéria. Postergar essa tarefa é desamor e invigilância. A desencarnação nos aguarda a todos na condição do mecanismo divino que nos devolve à realidade.

Reformar é formar novamente, dar nova forma. Reforma íntima nada mais é que dar nova direção aos valores que já possuímos e corrigir deficiências cujas raízes ignoramos ou não temos motivação para mudar. É dar nova direção a qualidades que foram desenvolvidas na horizontalidade evolutiva, que conduziram o homem às conquistas do mundo transitório. Agora, sob a tutela da visão imortalista, compete-nos dirigir os valores que amealhamos na verticalidade para Deus, orientando as forças morais para as vitórias eternas nos rumos da elevação espiritual pelo sentimento.

Que dizer da sementeira atacada por pragas diversas? Será incinerada a pretexto de renovação e cura?

Assim é conosco. O passado – nosso plantio – está arquivado como experiência intransferível e eterna; não há como matar o passado, porém, podemos vitalizá-lo com novos e mais ricos potenciais do Espírito na busca do encontro com o ser Divino, cravado na intimidade profunda de nós mesmos. Não há como extinguir o que aconteceu, todavia, podemos travar uma relação sadia e construtora de paz com o pretérito.

Reforma íntima não pode ser entendida como a destruição de algo velho para a construção de algo novo, dentro de padrões preestabelecidos de fora para dentro, e sim como a aquisição da consciência de si mesmo para aprender a ser, a existir, a se realizar como criatura rica de sentidos e plena de utilidade perante a vida.

Carl Gustav Jung, o pai da psicologia analítica, asseverou: "Só aquilo que somos realmente tem o poder de nos curar".

É uma questão de aprender a ser. Somos um projeto de existir criados para a felicidade, compete-nos, pois, o dever individual de executar esse projeto, e isso só é possível quando escolhemos realizar e ser em plenitude pela condução do eu imaginário em direção ao eu real.

Existir, ser alguém, superar a frustração do nada é uma questão de sentimento, e não de posses efêmeras ou padrões de puritanismo e vivência religiosa de fachada.

Imperfeições são nosso patrimônio. Serão transformadas, jamais exterminadas.

Interiorização é aprender a convivência pacífica e amorável com nossas mazelas. É aprender a conviver consigo mesmo por meio de incursões educativas no mundo íntimo, treinando o autoamor, aprendendo a gostar de si mesmo para amar tudo o que existe em torno de nossos passos.

Enquanto usarmos de crueldade com nosso passado de erros, não o conquistaremos em definitivo. A adoção de comportamentos radicais de violentação desenvolve o superficialismo dos estereótipos e a angústia da melhora – estados interiores improdutivos para a aquisição da consciência no autoconhecimento e no autotriunfo.

Interiorização é conquistar nossa sombra, elevando-a à condição de luz do bem para a qual fomos criados.

Portanto, esse "adversário interior" deve se tornar nosso grande aliado, sendo amavelmente doutrinado para servir ao luminoso ideal do homem lúcido e integral para o qual, inevitavelmente, todos caminhamos.

Capítulo 7

Sexualidade e hipnose coletiva

"O dever primordial de toda criatura humana, o primeiro ato que deve assinalar a sua volta à vida ativa de cada dia, é a prece. Quase todos vós orais, mas quão poucos são os que sabem orar!"

O Evangelho Segundo o Espiritismo
Capítulo 27 - item 22

Intenso desejo acompanha a humanidade em todos os tempos: ser feliz. Entretanto, um incômodo sentimento de impotência aprisiona o homem na realização desse projeto, ou seja, a ignorância sobre como trabalhar por sua felicidade. Como vencer esse abismo que se abre entre a necessidade de paz interior e as grandes lutas que se apresentam a cada dia, afastando-o cada vez mais desse ideal?

Desorientada pelo cansaço de não encontrar respostas lúcidas e satisfatórias para sua meta de júbilo e harmonia, a maioria das criaturas rende-se às propostas humanas de prazer como sendo a alternativa que mais fácil e rapidamente lhe permite obter alguma gratificação, ainda que passageira.

Forma-se, assim, pelo mecanismo mental da reflexão automática, um processo coletivo de hipnose sob o jugo da ilusão e da mentira consentidas, escravizando bilhões de almas no atoleiro dos vícios comportamentais de variados matizes.

Reflexão automática é o hábito de consumir pensamentos, estabelecendo uma rotina mental, sem utilização da consciência crítica, um processo que funciona por estimulação condicionada, sem a participação ativa da vontade e da inteligência, interligando todas as mentes em todas as esferas de vida. Indução, sugestão e assimilação são operações psíquicas que respondem por esse quadro que, em sã análise, constitui uma grave questão social. Fenômenos telepáticos e mediúnicos formam a radiografia básica desse ecossistema psíquico. Patologias mentais e orgânicas, obsessões e auto-obsessões surgem nesse cenário compondo a psicosfera de bairros e cidades, estados e países, continentes e mundos.

Composta de aproximadamente 30 bilhões de almas, a população geral da Terra tem hoje um contingente de pouco mais de um sexto de sua totalidade no corpo carnal. Considere-se que nessa extensa e vigorosa teia de ondas, mesmo esses cinco sextos de criaturas fora da matéria têm como centro de interesse o planeta das provas e expiações terrenas, influindo, sobremaneira, na economia psíquica da humanidade em perfeito regime de troca, determinando, mais do que se imagina, os rumos coletivos e individuais na dignidade ou na leviandade de propósitos, na paz ou no conflito armado.

Convém-nos, nesse contexto, em favor da reeducação de nossos potenciais, refletir com seriedade sobre um dos mais delicados temas da atualidade: a sexualidade.

Naturalmente, a mentira destruiu esse campo sagrado das conquistas humanas com lastimável epidemia de imitação decorrente da massificação. A palavra mentira vem do latim e, entre seus vários significados, extraímos esse: inventar, imaginar. Sob expressiva influência da mídia eletrônica, o sexo em desalinho moral obteve requintes de inferioridade e desvalor por meio de tolas invenções do relaxamento moral. Depois da televisão, a internet propiciou ainda mais estímulos para a devassidão em domicílio, preenchendo o vazio dos solitários com imagens degradantes de perversidade pela pornografia sem valores éticos.

Os costumes no lar, já que boa parcela dos educadores perdeu a noção de limite, avançam para uma derrocada nos hábitos a pretexto de modernização. Diante da beleza corporal, os pais, em vez de ensinarem responsabilidade e pudor, quase sempre excitam a sensualidade precoce e a banalização, porque se encontram também escravos de referências de conduta, conquanto o desejo de não verem os filhos desorientados. Amargam elevada soma de conflitos pessoais não solucionados que interferem em sua tarefa educacional com a prole.

Nesse clima social, os delitos do afeto e do sexo continuam fazendo vítimas e gerando dor. Telepatias deprimentes e vinculações mediúnicas exploradoras formam o ambiente astral de várias localidades, expelindo energias entorpecedoras e hipnóticas, abalando o raciocínio e instigando os instintos animalescos, aos quais a maioria de nós ainda se encontra jungida.

O desafio ético de usar o sexo com responsabilidade continua sendo superado por poucos que se dispõem ao sacrifício de vencer a si mesmos, dentro de uma proposta de profundidade nos terrenos da alma.

A força das estimulações exteriores compromete os propósitos sinceros mesmo daqueles que acalentam os ideais renovadores, exigindo do candidato à autotransformação um esforço hercúleo para atingir suas nobres metas.

A força sexual é comparável a uma represa gigantesca que, para ter seu potencial utilizado para o progresso, carece de uma usina controladora, a fim de drenar a água em proporções adequadas, evitando inundações e desastres de toda espécie nos domínios do seu curso. Se a energia criadora não for disciplinada pelas comportas da contenção, da fidelidade e do amor fraternal, dificilmente tal força da alma será dirigida para fins de crescimento e libertação.

Nesses dias tormentosos, o sexo ganha o apoio da mídia na criação de ilusões de espectros sombrios sob a análise ético--comportamental. A mentira do "amor sexual" condicionado à felicidade é uma hipnose coletiva na humanidade, gerando um lamentável desvio da saúde e alimentando as miragens da posse nas relações, fazendo com que os relacionamentos, carentes de segurança e da fonte viva da alegria, possam se chafurdar em provas dolorosas no campo do ciúme e da inveja, da dependência e do desrespeito, da infidelidade e da crueldade – algumas das vielas de fuga pelas quais percorrem os encontros e desencontros entre casais e famílias.

Diante disso, um turbilhão energético provido de vida e movimento permeia toda a psicosfera do orbe. Qual se fosse uma serpente sedutora criada pelas emanações primitivas, resulta das atitudes perante a sexualidade entre todas as comunidades. Semelhante a um enxame epidêmico e contagiante, essas aglomerações fluídicas são absorvidas e alimentadas em regime de troca pelas esferas vivas do grande ecossistema da psicosfera terrena.

A defesa da vida interior requer mais que contenção de impulsos. Muito além disso, faz-se urgente aprender o exercício do bem gerando novos reflexos pela consolidação de interesses elevados no reino do espírito. Decerto a disciplina dos instintos será necessária, mas somente o desenvolvimento de valores morais sólidos promovernos-á a outros estágios de crescimento nas questões da sexualidade. A esse respeito compete-nos ponderar a postura que adotamos ante a maior fonte de apelos da energia erótica, o corpo físico. Que sentimentos e pensamentos devem nortear o cosmo mental na relação diária com o corpo? Como adquirir uma visão enobrecida do instrumento carnal? Como olhar para o templo sagrado do corpo alheio e experimentar emoções enriquecedoras? Como impedir a rotina dos pensamentos que nos inclinam à vaidade e à lascívia ante os estímulos da estética corporal?

Zelo e cuidados necessários com o templo físico em nada podem nos prejudicar, contudo o problema surge nos sentimentos que nos permitimos perante as atrações físicas. Esmagadora parcela das almas reencarnadas adota atitudes pouco construtivas nesse tema. Além dos estímulos pujantes dos traços anatômicos, o corpo é dotado de elementos magnéticos irradiadores com intensa força de impulsão. Quando acrescido da simples intenção de atrair e chamar a atenção para si mesmo, essa impulsão assemelha-se a filamentos sutis, similares a tentáculos aprisionantes expelidos pela criatura na direção daquele ou daqueles em quem deseja causar admiração, tornando-se uma passarela de atrações que lhe custará um ônus para a saúde e o equilíbrio emocional.

Tudo se resume à lei universal da sintonia. Veremos o corpo conforme o que trazemos na intimidade. Sabemos, todavia, à luz da visão imortalista, que além do corpo carnal, a ele se encontra integrado o ser espiritual, repleto de valores e vivências que transcendem os limites sensoriais da matéria. Aprender a nos identificar com essa essencialidade é o caminho para a reeducação das tendências eróticas. Torna-se imprescindível vivermos o *estado de oração*, aprendendo a sondar o que existe para além do que os olhos podem divisar. *Saint-Exupéry* afirmou: "o essencial é invisível aos olhos", e quando V. Monod recomenda, na frase acima transcrita, que a prece seja o primeiro ato do dia, é porque estamos retomando o contato com o corpo após uma noite de emancipação. É o preparo para que consigamos nos elevar acima das sensações e permitir a fluência dos sentimentos nobres, antes mesmo de ingressarmos no vigoroso ímã da convivência pública. É o estado da mente alerta que vai nos ensejar "olhos de ver".

Aprender a captar a essencialidade do outro é perceber os eflúvios da sua alma, seus medos, suas dores, seus valores, suas vibrações e necessidades. É ir além do perceptível e encontrar o mundo subjetivo do próximo sentindo-o integralmente. O resultado será a sublimação de nossos sentimentos pela lei de correspondência vibracional, atraindo forças que vão conspirar em favor de nossos objetivos de ascensão.

Assim como preparamos o corpo para o despertamento, igualmente devemos nos lançar ao preparo espiritual para retomar as refregas do dia. A essa atitude chamamos de interrupção do fluxo condicionado da vida mental. É adentrar na teia de correntes etéreas para não se contaminar nem ser sugestionado pela força atrativa desse mar de vibrações pestilenciais de ambientes coletivos.

Esse estado de oração é a alma sintonizada com o melhor de todos, condição interior que requer, por enquanto, muita vigilância e oração de todos nós para ser atingida. Quem ora recolhe auxílio para os interesses elevados. Quem ora toma contato com o Deus interno, ativando a expansão da consciência, desatando energias de alto poder construtivo e libertador sobre todos seus corpos físicos e espirituais e na psicosfera ambiente. A vida conspira com os propósitos do bem, basta que nos devotemos a eles.

Estabelecido esse estado interior de dignificação espiritual, o próximo passo é lançar-se ao esforço reeducativo na transformação dos hábitos. O tempo responderá com salutares benefícios interiores de paz, com o psiquismo livre das energias enfermiças da hipnose coletiva do despudor e da lascívia, tornando a mente acessível ao trânsito das inspirações e ideias saudáveis em clima de plenitude.

Portanto, inscrevamo-nos nesse curso diário da oração preparatória tão logo despertos do sono físico. Faça seus cuidados fisiológicos para o despertamento sensorial, após o que amplie os cuidados com o Espírito. A oração desperta forças ignoradas que serão farta fonte de manutenção do estado de paz de que carecemos ante a empreitada sobre o dinâmico mundo das percepções e dos estímulos.

Somente dessa forma iluminaremos nossos olhos para que tenhamos luz na visão do mundo que nos cerca e, segundo o Divino Condutor, "... se os teus olhos forem bons, todo o teu corpo terá luz".[14]

---

14 Mateus, 6:22.

Capítulo 8

Arrependimento tardio

"Aliás, o esquecimento ocorre apenas durante a vida corpórea. Volvendo à vida espiritual, readquire o Espírito a lembrança do passado;"

O Evangelho Segundo o Espiritismo
Capítulo 5 - item 11

Na Sociedade Parisiense de Estudos Espíritas recebemos variadas comunicações de almas arrependidas que foram, algumas delas, enfeixadas pelo senhor Allan Kardec na obra *O Céu e o Inferno*, sob o título *Criminosos Arrependidos* – um incomparável estudo sobre os efeitos do arrependimento depois da desencarnação.

O tema arrependimento é muito valorizado entre nós na erraticidade, porque raramente, sob as ilusões da matéria, a alma tem encontrado suficiente coragem para enfrentar a força dos sutis mecanismos de defesa criados pelo orgulho, deixando sempre para amanhã – um amanhã incerto, diga-se de passagem – a análise madura e sincera de suas faltas, o que traria muito alívio, saúde e paz interior.

Era manhã no Hospital Esperança. Após os afazeres de rotina, deixamos nossa casa em bairro próximo e rumamos para as atividades do dia. A madrugada havia sido de muito trabalho nas esferas da crosta terrena. Após breve refazimento, nossa tarefa naquele dia que recomeçava era visitar a ala específica de espíritos em recuperação com o drama do arrependimento tardio.

Descemos aos pavilhões inferiores do hospital e chegando à ala para a qual nos destinávamos, fomos passando pelos corredores de maior sofrimento. Alas de confinamento, salas de atendimento e monitoramento, mais adiante alguns padioleiros com novas internações. No alto de uma porta larga, à semelhança daquelas dos blocos cirúrgicos dos hospitais terrenos, havia uma inscrição que dizia "Entrada restrita". Ali se encontravam os pacientes em estágios mentais agudos de arrependimento tardio.

Logo nas primeiras acomodações, rente à entrada, deparamos com Maria Severiana. Sua fisionomia não apresentava as mesmas disposições do dia anterior. Cabisbaixa, sua face denotava ter chorado bastante durante a noite. Com todo o cuidado que devemos à dor alheia, aproximamo-nos carinhosamente:

— *Bom dia, Severiana!*

— *Bom dia nada, Ermance, estou péssima.*

— *O que houve, minha amiga? Ontem você se encontrava tão disposta...*

— *Muito difícil dizer, não sei se posso.*

— *Se preferir, conversamos logo mais.*

— *Não, não saia daqui, preciso de alguém velando comigo. Sou todo arrependimento e perturbação.*

Quando segurava a mão de Severiana e ensaiava um envolvimento mais cuidadoso, Raul, assistente da ala, fez um sinal solicitando-nos a presença em pequeno posto alguns metros adiante.

— *Que houve, Raul? Severiana ontem estava... –* ele nem permitiu que continuássemos e disse:

— *Sim, ela teve autorização para acessar sua ficha reencarnatória. Foi uma noite tumultuada para ela, mas bem melhor que a maioria dos quadros costumeiros. A orientação é no sentido de que ela fale abertamente sobre o assunto para não criar as defesas inoportunas à sua recuperação. Graças a Deus, ela está acentuadamente no clima do arrependimento.*

— *Sim, Raul, grata pela informação.*

Regressamos, então, ao diálogo com a paciente, conduzindo-o com fins terapêuticos:

— *Amiga querida, gostaria de expor seus dramas para nosso aprendizado?*

— *Ermance, é muito difícil a desilusão! A sensação de perda é enorme e sinto-me envergonhada. Sei que não fui uma mulher cruel, mas joguei fora enormes chances de vencer a mim mesma e ajudar muitas pessoas.*

— *Qual de nós, Severiana, tem sido exemplar na escola da reencarnação? Sabe, porventura, quantos espíritas chegam em quadros muito mais graves que os seu?*

— *Tenho pouca noção, no entanto, sinto-me como a mais derrotada das mulheres espíritas.*

— *Isso vai passar brevemente. O clima do arrependimento, embora doloroso a princípio, é a porta de acesso a indispensáveis posturas de reequilíbrio em relação ao futuro. Sem arrependimento não existe desilusão, e sem desilusão não podemos contar com a mais vantajosa das esperanças: o desejo de melhora enriquecido pela bênção das expectativas de recomeço. O exercício da desilusão é o antídoto capaz de atenuar os reflexos das enfermidades ou faltas que ainda transportamos para além- -túmulo. Existe uma frase que considero sempre oportuna por seu poder consolador, a qual gostaria de ler para você; ela se encontra em O Evangelho Segundo o Espiritismo, Capítulo 5, item 5, e diz: "Os sofrimentos que decorrem do pecado são-lhe uma advertência de que procedeu mal. Dão-lhe experiência, fazem-lhe sentir a diferença existente entre o bem e o mal e a necessidade de se melhorar para, de futuro, evitar o que lhe originou uma fonte de amarguras;".*

— *Eu lhe agradeço, amiga querida. Tenho fé em que meu arrependimento será impulso, embora ainda não me sinta com forças suficientes para isso. Por agora parece que estou presa em mim mesma.*

— *Temporariamente será assim. Logo você perceberá que é exatamente o oposto. Digamos que o arrependimento é uma chave que liberta a consciência dos grilhões do orgulho. Enquanto peregrinamos no erro sem querer admiti-lo, temos o orgulho a nos defender com a criação de inúmeros mecanismos para aliviar nossas falhas. Chega, porém, o instante divino em que, estando demasiadamente represadas as energias da culpa, em casos como o seu, a misericórdia atua de maneira a ensejar o reajuste e a corrigenda. Sem arrepender-se, o homem é um ser que foge de si mesmo em direção aos pântanos da ilusão, por onde pode permanecer milênios e milênios. Essa não é sua situação. Em verdade, apesar da dor, você se redime neste momento de um episódio recente, sem vínculos com outras quedas de seu passado mais distante. Agradeça a Deus pela ocasião e supere sua expiação. Descartando quaisquer fins de curiosidade vã, tenho orientações para auxiliá-la a tratar o assunto em seu favor, portanto, tenha coragem.*

— *Farei isso, amiga, farei, custe-me quanto custar! Não quero mais viver sob os auspícios desse monstro do orgulho que trago em mim. Chega de ilusão!*

Enchendo o peito de ar como quem iria enfrentar árdua batalha, começou a contar seu drama, nesses termos:

— *Como sabes, fui espírita atuante nessa precedente romagem carnal. Adquiri larga bagagem doutrinária estando na direção de uma casa espírita. Conduzia com facilidade a organização, despertando simpatia e boa vontade. Fui vencida pelo velho golpe do personalismo, sentia-me muito grandiosa espiritualmente diante dos compromissos que desincumbia. Como sempre, é o assalto da vaidade que, com nossa invigilância, faz uma limpa em nosso coração roubando-nos qualquer chance de lucidez e abnegação. Passei a vida com um grave problema no lar. Minha filha Cidália era uma moça extremamente rancorosa e magoada comigo sem motivos para isso. Alegava, nas minhas avaliações, que éramos antigas inimigas do passado e, diante das atitudes cruéis que ela cometeu contra mim em plena adolescência, cheguei a estimular a piedade de muita gente no centro espírita em relação à minha dor. Alguns chegaram a me dizer que iria direto para sublimes esferas depois dessa prova. Em vez de encontrar alternativas cristãs para resolver nossas desarmonias, distraí-me com o fato de criar teoremas espíritas para explicar minha infelicidade, mas jamais me perguntei, com a sinceridade necessária, como solucionar esse drama. Guardava o desejo da pacificação, todavia, nada fazia por isso que fosse realmente satisfatório. Fantasias e mais fantasias rondavam minha experiência. Inúmeras orientações consideradas mediúnicas falavam em obsessores perseguindo minha filha e a mim. E agora, quando fui ler minha ficha, iniciei um ciclo novo e percebi que fui vítima da mentira que me agradou. Teorizei muito sobre o que me ocorria, e amei pouco. Entretanto, Ermance, o mais grave você não sabe, e estava lá anotado na ficha à qual ainda ontem tive acesso nos arquivos, aqui no Hospital Esperança. Algo que escondi de todos e jamais mencionei a ninguém, em tempo algum. Não poderia imaginar um caso como o meu. Nem sequer, apesar do conhecimento espírita, poderia supor uma história tão incomum como a minha.*

A essa altura da explanação, Severiana ruborizou-se e perdeu o fôlego. Suspirou sofregamente e continuou:

— *Fui levada ao Espiritismo depois de uma tentativa frustrada de abortar uma filha com quatro semanas de gravidez. Tomada de uma depressão e debaixo das cobranças por ser mãe solteira, cheguei a me desequilibrar emocionalmente. O tempo passava e não tinha coragem para o ato nefando; por várias circunstâncias não cheguei a executá-lo. A filha nasceu, é Cidália, a quem me referi, minha única filha. Guardei comigo o segredo e parti da Terra com ele sem que ninguém jamais pudesse imaginar que um dia estive disposta a esse crime. As leis divinas, no entanto, são perfeitas. Minha desilusão começou ontem. Em princípio, amaldiçoei essa ficha e achei impiedoso que permitissem acessá-la. Agora, com muita luta, começo a compreender melhor.*

— *E que revelação tão dura lhe trouxe seus informes reencarnatórios?*

— *Cidália renasceu com o propósito de ser uma companheira valorosa e companhia enriquecedora para minha solidão na vida. As informações me deram notícia de que é uma alma enormemente frustrada nos roteiros do aborto e que, após quedas sucessivas, estava reiniciando uma caminhada de recuperação nas duas últimas existências corporais para cá. Contudo, o meu ato impensado de expulsá-la do ventre, em plena gestação inicial, traumatizou-a sensivelmente perante as lutas conscienciais que ela já carregava com o assunto. O registro emocional foi ameaçador ao psiquismo da reencarnante. Seu rancor e sua mágoa contra mim nasceram ali, e nada tinham com ausência de afinidade ou carmas do pretérito. Ao substituir a culpa da tentativa de aborto pelas ideias de um passado suspeito e não confirmado, nada mais fiz que tamponar minhas más intenções. As anotações finais da ficha davam nota de que, se tivesse sido sincera com Cidália e rogado o perdão, desarticularia em seu campo psíquico um mecanismo defensivo, próprio de corações que faliram nos despenhadeiros do repugnante infanticídio. Fico aqui nas minhas amarguras me cobrando severamente, mas como poderia saber disso, Ermance? Não supunha que a simples intenção poderia ser tão nociva. Você acha que estou sendo muito rigorosa?*

— *Claro que sim, Severiana. Contudo, não abdique da oportunidade. É sua chance de refazer os caminhos e futuramente amparar Cidália. De fato, não tinha como saber disso, o que não a isenta da responsabilidade do ato. Faltou-te o autoperdão e o desejo sincero do encontro com suas culpas. Essa tem sido a opção da maioria esmagadora da humanidade. Preferem a fuga a ter de fazer o doloroso encontro com a sombra. Sua experiência poderá ser muito útil aos amigos encarnados, caso me autorize a contá-la. Certamente, lhes ampliará um pouco a visão sobre as infinitas possibilidades que a vida apresenta nos roteiros da nossa redenção espiritual. Nem reencarnações passadas, nem obsessões, nem carmas, puramente um episódio aparentemente fortuito da existência que lhe rendeu os frutos amargos dessa hora. Um conjunto de situações reunidas talhando a realidade de cada um. Nada por acaso, nada sem razões explicáveis, conquanto nem sempre conhecidas.*

— *Oportunamente, quando estiver melhor, gostaria de lhe narrar alguns detalhes para que a minha queda seja alerta e orientação a outras pessoas. Por agora, peço sua ajuda e a de Deus para que consiga me autoperdoar.*

— *Severiana, hoje você é a mãe caída e frustrada, entretanto a vida a convida para se tornar o exemplo para muitas almas.*

— *Você tem razão, Ermance. A ficha, que fichinha dolorosa! – exclamou melancólica – mencionava que, caso tivesse adotado a postura de me perdoar, poderia ter contado a inúmeras criaturas a minha intenção irrefletida, a inconveniência do ato abortista ou o mal que pode causar sua simples intenção. Ainda que desconhecendo os detalhes que agora conheço, poderia falar do que significa em dor para uma mãe trazer na lembrança, diante da excelsitude de uma criança que nasceu de seu ventre, as ideias enfermiças de que um dia teria pensado em roubar-lhe a vida. Enfim, aprendi que a simples intenção nos códigos da eterna justiça, dependendo dos compromissos de cada qual, é quase a mesma coisa que agir...*

Severiana recuperou-se rapidamente e prepara-se para retornar como neta de Cidália. São passados pouco mais de dois decênios de sua queda, e sua alma espera a remissão nos braços da avó.

Todavia, quem se arrepende precisa de muito trabalho reparativo e luz nos raciocínios. Foi o que fez a nossa amiga. Não cessou de amparar e servir. Enquanto aguardava sua oportunidade, integrou-se às equipes de serviço aos abortistas no Hospital Esperança e aprendeu lições preciosas de consolo para seu próprio drama.

Se não existisse trabalho redentor na vida espiritual, as almas teriam de reencarnar com brevidade porque não suportariam o nível mental das recordações e perturbações do arrependimento.

O serviço em nosso plano é uma preliminar para as provas futuras na reencarnação.

Como sempre, o Livro-luz traz em suas páginas incomparáveis uma questão que resume com perfeição o caso que narramos. Eis a pergunta:

"Qual a consequência do arrependimento no estado espiritual?"

"Desejar o arrependido uma nova encarnação para se purificar. O Espírito compreende as imperfeições que o privam de ser feliz e, por isso, aspira a uma nova existência em que possa expiar suas faltas."[15]

---
15 *O Livro dos Espíritos* – Questão 991.

Capítulo 9

"Espíritas não praticantes?"

"Nem todos os que me dizem: Senhor! Senhor! entrarão no reino dos céus;"

O Evangelho Segundo o Espiritismo
Capítulo 18 - item 6

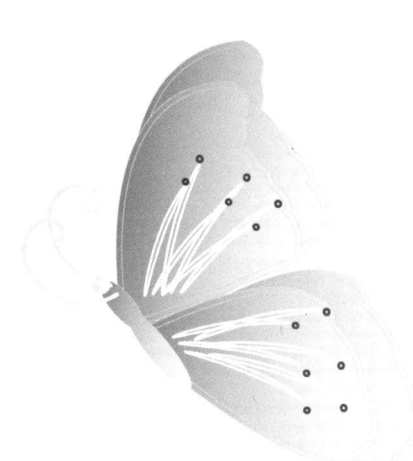

Que conceito, afinal, devemos ter sobre ser espírita? Será coerente e proveitoso admitirmos, nos roteiros educativos da Doutrina Espírita, a figura tradicional do "religioso não praticante"? Será que devemos oficializar essa expressão a fim de prestigiar aqueles que ainda não se julgam espíritas? Essas são mais algumas indagações a cogitar na formação de uma ideia mais lúcida sobre a natureza da proposta educativa do Espiritismo para a humanidade.

Ouvem-se, com certa frequência nos ambientes doutrinários, algumas frases que expressam dúbias interpretações sobre o que seja ser espírita. Companheiros que ainda não se sentem devidamente ajustados aos parâmetros propostos pelos roteiros da codificação dizem: "Ainda não sou espírita, estou tentando!", outros, desejosos de amealhar algum crédito de aceitação nos grupos, dizem: "Quem sou eu para ser espírita?!", "Quem sabe um dia serei!".

Com todo o respeito a quaisquer formas de nos manifestar sobre o assunto, não podemos deixar de alertar que somente uma incoerência de conceitos pode ensejar ideias dessa natureza, agravadas pela possibilidade de estarmos prestigiando o indesejável perfil do ativista não praticante, aquele que adere à filosofia mas não assume para si mesmo os compromissos que ela propõe.

Ser espírita é algo muito dinâmico e pluridimensional. Tentar enquadrar esse conceito em padrões rígidos é repetir velhos procedimentos das práticas exteriores da religiosidade milenar. Nossas vivências nesse setor levaram-nos a adotar, como critério de validade, alguns parâmetros muito vagos e dogmáticos para aferir quem seria verdadeiramente seguidor do bem e da mensagem do Cristo. Parâmetros com os quais procuramos fugir das responsabilidades criando artifícios para a consciência, gerando facilidades de toda espécie por meio de rituais e cerimônias que entronizaram o menor esforço nos caminhos da espiritualização humana.

Ser espírita é ser melhor hoje do que ontem, e buscar amanhã ser melhor do que hoje; é errar menos e acertar mais; é se esforçar no domínio das más inclinações e transformar-se moralmente, conforme destaca Kardec. Nessa ótica, temos de admitir uma classificação muitíssimo maleável para considerar quem é e quem não é espírita.

Façamos, assim, algumas reflexões puramente didáticas sobre esse tema, sem nenhuma pretensão de concluí-lo, mas com intenção cristalina de problematizar nossos debates fraternos. Tomemos por base o tema da transformação íntima, o qual deve sempre ser a referência prioritária na melhor assimilação do que propõe a finalidade do Espiritismo.

Na primeira etapa, a criatura chega à casa espírita. Na segunda, o conhecimento doutrinário penetra os meandros da inteligência, e na terceira, a mais significativa, o Espiritismo brota de dentro dela para espraiar-se no meio onde atua, gerando crescimento e progresso. São três etapas naturais que obedecem ao espírito de sequência, da qual ninguém escapa. Fases para as quais jamais poderemos definir critérios de tempo e expectativa para alguém, a não ser para nós mesmos. Fases que geram responsabilidade a cada instante de contato com as Verdades imortais, mas que são determinadas, única e exclusivamente, pela consciência individual, não sendo prudente estabelecer o que se espera desse ou daquele coração, porque cada qual enfrentará lutas muito diversificadas nos campos da vida interior.

O critério moral, portanto, deve preponderar sobre qualquer noção que essa ou aquela pessoa utilize para se considerar espírita. Nessa ótica encontramos o espírita da ação, aquele batalhador, tarefeiro, doador de bênçãos, estudioso, que se movimenta em torno das práticas. Temos, também, o espírita da reação, o que reage de modo renovado aos testes da vida em razão de estar se aplicando afanosamente à melhoria de si mesmo. Sem desejar criar rótulos e limitações indesejáveis, digamos que o primeiro está conectado com o movimento espírita, e o segundo com a mensagem espírita. O movimento é a ação dos homens na comunidade, enquanto a mensagem é a essência daquilo que podemos trazer para a intimidade com base nessa movimentação. O ideal é que, por meio da escola da ação no bem, consolide-se o aprendizado das reações harmonizadas na formação da personalidade ajustada com a Lei Natural do amor.

O espírita não é reconhecido somente nos instantes em que encanta a multidão com sua fala, ou quando arrecada gêneros para a campanha do quilo, por sua lavra inspirada na divulgação, ou mesmo pela tarefa de direção. Essas são ações espíritas salutares e preparatórias para o desenvolvimento de valores na alma, mas o serviço transformador do campo íntimo, que qualifica o perfil moral do autêntico espírita, é medido por seu modo de reagir às circunstâncias da existência, pelo qual testemunha a intensidade dos esforços renovadores de progresso e crescimento a que tem se ajustado. Pelas reações mensuramos se estamos ou não assimilando no mundo íntimo as lições preciosas da espiritualização. A ação avalia nossas disposições periféricas de melhoria, todavia, somente as reações são o resultado das mudanças profundas, e apenas em situações adversas ou na convivência com os contrários temos como aquilatar em que níveis se encontram.

Melhor seria que não aderíssemos à ideia incoerente do "espírita não praticante", para não estimularmos a fantasia do menor esforço, que ainda é uma forte tendência de nossas vivências espirituais. A definição de um posicionamento transparente nessa questão será uma forma de estimular nossa caminhada, razão pela qual devemos ser claros e livres de subterfúgios ao declarar nossa posição perante os imperativos da vivência espírita. A costumeira expressão: "estou tentando ser espírita", na maioria das ocasiões, é mecanismo psicológico de fuga da responsabilidade; é a criatura que sabe que não está fazendo tanto quanto deveria, conforme seus ditames conscienciais, justificando-se perante a si mesmo e os outros.

Libertemo-nos das capas e máscaras e cultivemos nas agremiações kardecistas o mais límpido diálogo sobre nossas necessidades e qualidades nas lutas pelo aperfeiçoamento.

Formaremos, assim, uma corrente de autenticidade e luz que se reverterá em vigorosa fonte de estímulo e consolo às angústias do crescimento espiritual.

Deixemos de lado essa necessidade insensata de definirmos conceitos estreitos e padrões engessados que não nos auxiliam a ser melhores que somos. Aceitemos nossas imperfeições e devotemo-nos com sinceridade e equilíbrio ao processo renovador. Estejamos convictos de um ponto em matéria de melhoria espiritual: só faremos e seremos aquilo que conseguirmos, nem mais, nem menos. O importante é que sejamos o que somos, sem essa necessidade injustificável de ficar criando rótulos para nosso estilo ou forma de ser.

Certamente, em razão disso, o baluarte dos Gentios asseverou em sua primeira carta aos Corintios, capítulo 15 versículos 9 e 10: "...não sou digno de ser chamado apóstolo, (...)mas, pela graça de Deus, já sou o que sou...".

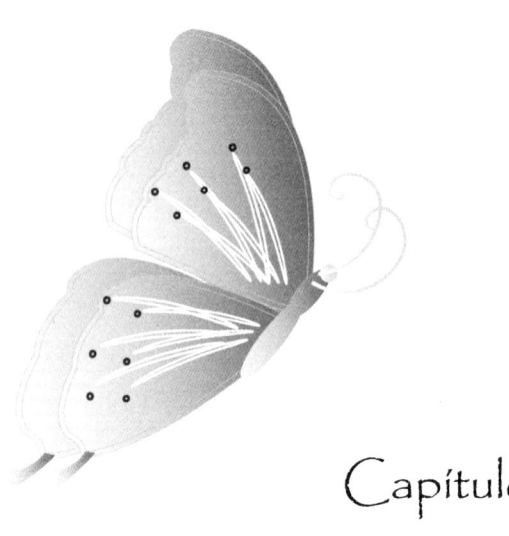

Capítulo 10

Reflexo-matriz

"Em resumo, naquele que nem sequer concebe a ideia do mal, já há progresso realizado; naquele a quem essa ideia acode, mas que a repele, há progresso em vias de realizar-se;"

O Evangelho Segundo o Espiritismo
Capítulo 8 - item 7

Que ideia mais clara de reforma íntima se pode registrar que essa exposta acima?

Naquele cuja ideia do mal não faz parte de sua bagagem mental, encontramos a transformação moral efetivada.

Allan Kardec, no entanto, no item 4, capítulo 8, de *O Evangelho Segundo o Espiritismo*, deixa claro que o verdadeiro espírita seria reconhecido não só por esse aspecto moralizador, mas, igualmente, pelos esforços que emprega para domar as más inclinações. Nesse ângulo encontramos o outro estágio, aqueles em que a ideia do mal acode e é repelida.

Será reducionismo definir o processo renovador da vida íntima por meros critérios de aparência exterior. Ser espírita é uma vivência ética que reflete e, a um só tempo, induz profunda metamorfose no campo da mente. Dessa forma, deixa de ser um conceito religioso para alcançar o nível de sagrada viagem pelos escaninhos da alma, pelo autodescobrimento e pela conduta.

No reino mental encontramos complexos mecanismos que operam a formação da personalidade como sendo uma identidade temporária do Espírito nas sendas evolutivas. Subconsciente, consciente e superconsciente são níveis que interagem em perfeita ação conjunta, com funções específicas. No campo da subconsciência encontramos o reflexo e a emoção induzindo, para o consciente, o projeto das ideias que vão se unir para compor atitudes e palavras nos rumos da perfeição ou no cativeiro das expiações dolorosas.

Portanto, a cadeia reflexo, emotividade, ideia, ação, palavra compõe a fisiologia da alma.

Os reflexos são como personalidades indutoras estabelecendo o automatismo dos sentimentos externados em atitudes e palavras. Nesse circuito vivemos e decidimos, progredimos ou estacionamos. Não será incorreto, conquanto os muitos conceitos, definir personalidade como sendo núcleos dinâmicos e gestores de sentimentos funcionando sob automatismo mental contínuo. São essas muitas personalidades construídas nas múltiplas vivências da alma que formam os alicerces das inclinações humanas – tendências, impulsos, desejos, intenções e hábitos.

Na usina da mente, o pensamento exerce a função de supervisão ininterrupta da rotina mental, sob a gerência da vontade, expedindo ordens de aprovação ou censura pela utilização da inteligência, a qual decide e avalia os estímulos recebidos da vida. Somente depois dessas intrincadas operações é que são acionados os sentimentos, que esculpirão a natureza afetiva de toda essa sequência, conduzindo a alma a perceber os ditames da consciência nessa sucessão vertiginosa de movimentos sublimes da alma. Por isso os pensamentos precisam ser muito vigiados para não induzirem as velhas emoções, as quais associamos às experiências da atitude, conforme os roteiros que escolhemos durante milênios.

Nessa sequência da vida mental, encontramos o reflexo-matriz do interesse pessoal como sendo a origem da rotina das operações psíquicas e emocionais, as quais convergem para o que nomeamos como personalismo – a parcela doentia do ego.

Assim ponderamos porque o interesse individual em si mesmo é uma necessidade para o progresso. Seu excesso, no entanto, gerou essa fixação prolongada da alma no narcisismo – a paixão pelo que imaginamos ser.

Com razão asseveram os Orientadores Espirituais da Codificação: "Frequentemente, as qualidades morais são como, num objeto de cobre, a douradura que não resiste à pedra de toque. Pode um homem possuir qualidades reais que levem o mundo a considerá-lo homem de bem. Mas essas qualidades, conquanto assinalem um progresso, nem sempre suportam certas provas e, às vezes, basta que se fira a corda do interesse pessoal para que o fundo fique a descoberto. O verdadeiro desinteresse é coisa ainda tão rara na Terra que, quando se patenteia, todos o admiram como se fora um fenômeno".[16]

Por causa dessa estrutura de sustentação psicológica do personalismo, vivemos, preponderantemente, em torno daquilo que imaginamos que somos, sustentados por convicções e hábitos que irrigam todo o cosmo pensante do ser com ideias e sentimentos irreais ou deturpados sobre nós mesmos. São as ilusões. Sua manifestação mais saliente é a criação de uma autoimagem superdimensionada em valores e conquistas que supomos possuir.

Lutamos há milênios com a força descomunal desse reflexo-matriz que dirige, por automatismo, até mesmo, a maioria de nossas escolhas.

---
16 O Livro dos Espíritos - Questão 895.

Em razão disso, quando temos o interesse pessoal contrariado, magoamos; quando feridos, penetramos no melindre; quando ameaçados, tombamos na insegurança; quando traídos, caímos na revolta; quando lesados, nos inclinamos ao revide.

Podemos, entretanto, mudar esse quadro, pois Freud, um dos mais célebres cientistas das ciências psíquicas, dizia que, em matéria de impulsos, depositava esperanças no futuro por considerar os seres humanos educáveis.

O desenvolvimento de novos hábitos constitui a terapêutica para nossos impulsos egoístas. A caridade, entendida como criação de relações educativas, será medida libertadora dessa escravidão dolorosa nos costumes humanos.

O treino da empatia, o aprendizado de saber ouvir, o cultivo do respeito à vida alheia, a cautela no uso das palavras dirigidas ao próximo, a sensibilidade para com os dramas humanos, as atitudes de solidariedade efetiva e renovadora são autênticos ensaios das qualidades superiores que vão, pouco a pouco, desenvolvendo o novo reflexo do interesse universal, desenovelando as branduras do altruísmo e do amor – reflexos celestes do Pai, nos quais todos fomos criados, distantes do mal e da dor.

Quando alcançarmos esse patamar, podemos afirmar com Kardec: "Em resumo, naquele que nem sequer concebe a ideia do mal, já há progresso realizado".

Capítulo 11

A arte de interrogar

"Segundo a ideia falsíssima de que lhe não é possível reformar a sua própria natureza, o homem se julga dispensado de empregar esforços para se corrigir dos defeitos em que de boa vontade se compraz, ou que exigiriam muita perseverança para serem extirpados." Hahnemann. (Paris, 1863.)

O Evangelho Segundo o Espiritismo
Capítulo 9 - item 10

Não são poucos os companheiros que demonstram silencioso desespero quando percebem que o esforço pessoal de melhoria parece insuficiente ou sem resultados. Entregaram-se às fileiras de amor ao próximo e à escola do conhecimento espiritual, mas continuam asilando impiedoso sentimento de frustração ao partirem para as lutas reeducativas, nos deveres de cada dia. Alegam que vigiam o pensamento e oram fervorosamente pedindo auxílio, no entanto, dizem-se perseguidos por uma força maior que os distrai e domina os impulsos, que fazem o que não têm intenção de fazer, sendo levados a atitudes não desejadas nem escolhidas. Nasce, então, o conflito, seguido de sentimentos punitivos que passam a povoar o coração, quais sejam a tristeza e a angústia, a vergonha e o desânimo. Instala-se, assim, o desespero mudo e desgastante que assola inúmeros aprendizes do crescimento espiritual.

Estariam, porventura, exercendo inadequadamente sua reforma? Semelhante ciclo de frustração necessariamente faz parte do programa de transformação e crescimento? Faltaria alguma postura para tornar o esforço mais produtivo? Essas são indagações que devem fazer parte das meditações de quantos anseiam pela promoção de si mesmos, seja nos grupos de nossa causa ou nas avaliações pessoais.

Sem recolhimento e introspecção educativa não teremos respostas claras e indispensáveis para a elaboração do programa de autoconhecimento. Imprescindível efetuar perseverante investigação do que se chama força maior.

Será uma compulsão? Um Espírito? Um trauma? Uma tendência? Um recalque? Uma fixação de outras vidas? Uma patologia física? Um impulso adquirido na infância? Uma lembrança da erraticidade? Um problema surgido na gestação maternal? Uma emersão de recordações das atividades noturnas? Uma influência passageira e intermitente ou uma obsessão progressiva? Uma contaminação fluídica por nuvens de ideoplastia dos pensamentos humanos? A irradiação magnética dos ambientes? Qual a origem e a natureza das forças que nos cercam?

Será muito simplista a atitude de responsabilizar obsessores e reencarnações passadas por aquilo que sentimos e que não conseguimos explicar com maior lucidez. Em alguns casos, chega a ser mesmo um ato de invigilância.

Que variedade de opções soma-se às viagens da evolução para explicar as lutas espirituais que hoje enfrentamos! Apesar disso, não guardamos dúvidas em afirmar que o labor iluminativo de todos nós tem um ponto em comum: a urgente necessidade da educação dos sentimentos.

A etimologia da palavra *educação* significa "trazer à luz uma ideia", vem do latim *educare* ou *educere* – prefixo "e" mais *ducare* ou *ducere* – levar para fora, fazer sair, extrair, tirar.

Filosoficamente, é fazer a ideia passar da potência ao ato, da virtualidade à realidade.

À luz dos conceitos espíritas, educar é ir ao encontro dos germens da perfeição que se encontram potencializados na alma desde sua criação, é despertar, dinamizar as qualidades superiores que todos trazemos nas profundezas da vida inconsciente.

Diante do montante de lutas e conflitos que amealhamos na afanosa caminhada do egoísmo, fica a indagação: como educar sentimentos para adquirir reações e interesses novos afinados com esses valores excelsos depositados em nós mesmos?

Justo agora que a ciência avança na busca de novas alternativas para que o homem entenda a si mesmo verificamos uma lastimável epidemia de racionalização varrendo todas as sociedades mundanas, impedindo o homem de mover-se com o necessário domínio sobre sua vida emocional.

A educação de nossos sentimentos é algo doloroso, semelhante a cirurgias corretivas que fazem do mundo emocional um complexo de vivências afetivas de longo curso, quais sejam: a renúncia a hábitos, a perda de expectativas, a ansiedade por novas conquistas, a tristeza pelo abandono de vínculos afetivos, os conflitos de objetivos, a vigilância na tentação, o contato com o sentimento da inferioridade humana, a tormenta da culpa, a severidade na cobrança, a sensação de esforço inútil, a causticante dúvida sobre quem somos e o que sentimos, a insatisfação perante tendências que teimam em persistir, o desgaste dos pensamentos nocivos que burlam a vontade, o medo de não conseguir se superar, os desejos inconfessáveis que humilham os mais santos ideais, o sentimento de impotência ante os pendores, a insegurança nas escolhas e outros tantos dramas afetivos.

"Formulai, pois, de vós para convosco, questões nítidas e precisas e não temais multiplicá-las. Justo é que se gastem alguns minutos para conquistar uma felicidade eterna."[17] Eis a feliz recomendação de Santo Agostinho.

O sábio de Hipona acrescenta: "Dirigi, pois, a vós mesmos perguntas, interrogai-vos sobre o que tendes feito e com que

---
17 O Livro dos Espíritos - Questão 919 a.

objetivo procedestes em tal ou tal circunstância, sobre se fizestes alguma coisa que, feita por outrem, censuraríeis, sobre se obrastes alguma ação que não ousaríeis confessar. Perguntai ainda mais: 'Se aprouvesse a Deus chamar-me neste momento, teria que temer o olhar de alguém, ao entrar de novo no mundo dos Espíritos, onde nada pode ser ocultado?'"[18]

Essa educação das emoções, portanto, é o imperativo de penetrarmos partes ignoradas de nossa intimidade espiritual no resgate de valores divinos adormecidos.

Considerando a extensão do trabalho a ser feito, anotemos algumas diretrizes práticas que não devemos olvidar, a fim de renovarmos o desalento que pode ser absorvido pelo clima da esperança motivadora e do consolo reconfortante, quando peregrinamos pelos escaninhos do desconhecido país de nós próprios, guardando a mais lúcida visão no serviço da autoconquista pelo estudo de nossas reações:

- As intenções são o localizador de frequência da consciência. Por elas sintonizamos as faixas mentais que desejamos naturalmente ou que escolhemos pelo poder de decisão da vontade. Conhecê-las nas vivências e identificar seu teor moral será rica fonte informativa sobre a vida subsconsciencial: com que intenção pratiquei tal ato? Qual a intenção ao dizer algo a alguém?

- Aprendamos a dar nome aos sentimentos que vivenciamos a fim de dilatar o discernimento sobre a vida emocional; escolha um episódio de seu dia e interrogue perseverantemente: que sentimento estava por trás daquele acontecimento?

- Cuidemos de não ampliar nossas lutas íntimas com mecanismos de fuga e suposta proteção como a negação daquilo que

---
18 O Livro dos Espíritos - Questão 919 a.

sentimos. Se não tivermos coragem para o enfrentamento interior, não faremos muito progresso na arte de descobrir nossas mazelas e mesmo nossas qualidades. Imprescindível será admitir o que sentimos, sem medos e subterfúgios de defesa, mas com muita responsabilidade para que não penetremos os meandros da fantasia: por que senti (nomear o sentimento) em relação a essa criatura? Qual a razão desse meu sentimento em circunstâncias como a que experimentei?

- Nossas reações aos desafios da vida, mesmo que não sejam felizes expressões de equilíbrio, são valorosas medidas aferidoras dos nossos sentimentos. Indaguemos sempre, em cada ocasião do caminho: qual o sentimento nos impulsionou nessa ou naquela situação?

- Cultivar a empatia. Aprender a se colocar no lugar do outro e sentir o que sente, entender-lhe as razões e procurar estudar os motivos emocionais de cada pessoa. Todos temos uma razão no reino do coração para fazer o que fazemos, então questionemos: por que motivo aquela pessoa agiu assim comigo? Que motivações levaram alguém a fazer o que fez?

Portanto, como diz Hahnemann em nossa introdução, nossa tarefa reeducativa exige muita perseverança e esforço. Isso leva muitos a preferir a ilusão de cultivar a ideia falsíssima de que é impossível mudar nossa natureza. Ledo engano!

Deveríamos nos dar por muito satisfeitos no dia de hoje pelo simples fato de não recorrermos intencionalmente ao mal.

O grave equívoco é que muitos lidadores da Nova Revelação acreditam que renovar é angelizar!

Capítulo 12

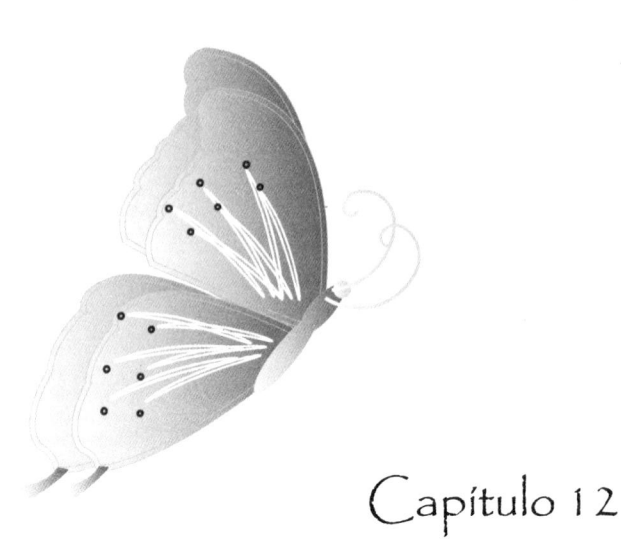

Ser melhor

"Para nos melhorarmos, outorgou-nos Deus, precisamente, o de que necessitamos e nos basta: a voz da consciência e as tendências instintivas. Priva-nos do que nos seria prejudicial."

O Evangelho Segundo o Espiritismo
Capítulo 5 - item 11

Será muito útil à comunidade espírita um maior empenho em seus grupamentos no entendimento do tema reforma íntima. Apesar dos debates assíduos, observa-se, ainda, uma lacuna no apontamento de caminhos pelos quais se possa iniciar um programa de melhoria pessoal. Mesmo sensibilizados para sua importância, pergunta-se: como fazer reforma íntima?

O primeiro passo para mais amplos resultados nesse campo será possuir a noção bem clara do que seja essa proposta no terreno individual. Propomos, então, uma releitura de sua conceituação em favor da oxigenação de nossas ideias.

Associa-lhe, comumente, a ideia de anulação de sentimentos, negação de impulsos ou eliminação de tendências; ideias que, se não forem sensatamente exploradas, poderão tecer uma vinculação mental ao obsoleto bordão do pecado original, uma cultura diametralmente incoerente com a lógica espírita. Essa vinculação nos conduz a priorizar a repressão como sistema de mudança, ou seja, a violação do mundo íntimo, gerando um estado compulsivo de conflito e pressão psíquica, uma tortura interior. Esse sistema de inaceitação é caracterizado, quase sempre, pela ansiedade em aplacar sentimentos de culpa, uma fuga que declara a condição íntima de indignidade pelo fato de sentir, fazer ou pensar em desacordo com o que aprendemos nos lúcidos conteúdos da Doutrina.

A culpa não renova, limita. Não educa, contém.

A culpa nasce no ato de avaliar o direito natural de errar como sendo um pecado que merece ser castigado, uma estrutura mental condicionada que carece de reeducação a fim de atingir o patamar de uma relação pacífica conosco mesmos.

Reforma íntima não é ser contra nós mesmos. Não é reprimir, e sim educar. Não é exterminar o mal em nós, e sim fortalecer o bem que está adormecido na consciência.

A palavra *educação*, que vem do latim *educere*, significa tirar de dentro para fora. Renovar é extrair da alma os valores divinos que recebemos quando fomos criados.

Educação é disciplina com consentimento íntimo, fruto de um acordo celebrado em harmonia, bem distante dos quadros torturantes de neurose e severidade para consigo mesmo.

Claro que para se educar é preciso controle, tendo em vista os hábitos que arregimentamos nas vidas sucessivas. Muitos discípulos, entretanto, permanecem apenas nesse estágio, definindo seu crescimento espiritual pela quantidade de realizações a que se devotam por fora, quando o crescimento pessoal só encontra medidas reais na intimidade do sentimento. Menos contenção e mais conscientização, eis a linha natural de aprender a dar ouvidos aos alvitres do bem divino que retumbam qual eco de Deus na nossa intimidade.

O conjunto dos ensinos espíritas é um roteiro completo para todos os perfis de necessidades no aperfeiçoamento da humanidade. Tomar todo esse conjunto como regras para absorção instantânea é demonstrar uma visão intelectual e sistemática de crescimento, gerando aflições e temores, perfeccionismo e ansiedade que são desnecessários ao aproveitamento das oportunidades.

Reforma íntima é ser melhor hoje em relação a ontem, e jamais deixar arrefecer o desejo de ser um tanto melhor amanhã em relação a hoje. Basta-nos aprender a ouvir a consciência e a estudar nossos instintos. Reforma é um trabalho processual. A esse respeito, assim se pronuncia a Equipe Verdade:

"Conhece bem pouco os homens quem imagine que uma causa qualquer os possa transformar como que por encanto. As ideias só pouco a pouco se modificam, conforme os indivíduos, e preciso é que algumas gerações passem, para que se apaguem totalmente os vestígios dos velhos hábitos. A transformação, pois, somente com o tempo, gradual e progressivamente, se pode operar."[19]

Se conseguirmos assimilar essa definição na rotina dos dias, certamente estaremos nos beneficiando amplamente por entendermos que ninguém pode fazer mais que o suportável, sendo inútil acumular sofrimentos para manter metas inatingíveis por agora. Exigir de si mesmo mais que o possível é dar espaço para nos tornarmos ansiosos ou desanimados. Valorizemos com otimismo e aceitação o que temos condição de fazer para ser melhor, mas jamais deixemos de aferir sinceramente, em nosso próprio favor, se não estamos sob o fascínio do desculpismo e da fuga, e procuremos a cada dia fazer algo mais pelo bem de nós mesmos e do próximo.

---

19 *O Livro dos Espíritos* – Questão 800.

Capítulo 13

Meditação sobre a amizade com o homem velho

"A própria destruição, que aos homens parece o termo final de todas as coisas, é apenas um meio de se chegar, pela transformação, a um estado mais perfeito, visto que tudo morre para renascer e nada sofre o aniquilamento." Santo Agostinho. (Paris, 1862.)

O Evangelho Segundo o Espiritismo
Capítulo 3 - item 19

Vamos, juntos, fazer uma viagem ao encontro de nossa sombra. Antes, porém, recordemos alguns conceitos.

A eficácia do labor de renovação depende essencialmente da capacidade do encontro harmônico com as mazelas que, habitualmente, desejamos ignorar.

Aceitar-se é ter a coragem de olhar para si mesmo, criar uma autopurificação, ser em si mesmo um espelho para analisar as próprias reações e proceder a uma busca terapêutica para a dignificação.

Aceitação é diferente de conformismo com o mal.

Aceitar-se é admitir a si mesmo suas limitações com finalidades de estudá-las para transformá-las.

Que haja muito discernimento nesses conceitos: aceitar imperfeições é muito diferente de aceitar erros.

A inimizade com o homem velho é extremamente prejudicial ao desenvolvimento dos valores divinos, porque gastamos toda energia para nos combater, e não para talhar virtudes e conquistar nossa sombra.

Há muitos espiritistas que seguem normas lidas aqui e acolá, quando o importante é sermos as normas em nós mesmos, descobri-las no nosso mundo singular e inigualável. Livros e palestras, orientações e vivências dos outros são valorosas referências para o ponto de partida de uma longa viagem que terá de ser trilhada com nossos próprios pés.

Nada sofre destruição e aniquilamento, tudo é transformado e aperfeiçoado na natureza.

Não se mata o que fomos, conquistamos.

Não se extermina o passado, harmonizamo-nos com ele.

O autoamor é a medida moral de paz conosco mesmos em favor dos objetivos maiores que almejamos. Não há liberdade interior sem a presença do amor.

Vamos, então, meditar e nos encontrar com nosso homem velho.

Primeiramente, ore com unção pedindo a ajuda de seu espírito-guia ou dos amigos desencarnados de sua confiança, para que a sua seja uma empreitada bem-sucedida.

Faça um suave relaxamento físico e psíquico.

Cuide da posição física e do local, para que estímulos externos ou a má acomodação não causem muito prejuízo à concentração.

Utilize uma música branda e com acordes uniformes.

Feche os olhos e guarde na alma a indeclinável certeza de que será uma feliz experiência o seu autoencontro.

Imagine-se só. Um campo verdejante, florido, rico de natureza.

Respire o ar do campo, você está muito bem, muito bem. Um bem-estar invade sua alma.

Abra os braços e sinta a brisa roçando seu corpo em confortadora sensação de alívio e esperança.

Sobre sua cabeça está surgindo uma esfera luminosa com luz muito intensa e balsamizante, é o Divino Fluxo de Deus.

Dessa esfera parte, agora, em sua direção, uma luz de cor azul prateada envolvendo todo o seu corpo.

Sinta-se calmo, confiante, capaz e feliz.

Observe a alguns metros à sua frente, nesse campo maravilhoso: outra esfera idêntica faz o mesmo procedimento.

Você percebe que lá dentro há alguém a se agitar, contorcer e esbravejar.

A princípio você vai se assustar, mas mantenha seu vínculo com a esfera de luz que o envolve e ore pelo ser da outra esfera. Não se sabe a razão de sua dor, ele sofre, isso é uma verdade, esse é o seu estado.

Deus o abençoe com paz. Mas não chegue perto da outra esfera, mantenha sua distância inicial.

Agora observe com mais amor quem está lá.

Não pode ser! Sim, mas é verdade... É você mesmo...

Sim, é seu homem velho, sua criação... Olhe-o com amor, sem se aproximar... Procure externar os melhores sentimentos por ele.

Ele não diz nada, todavia, ouve os seus sentimentos e agora fixa os seus olhos. Olhe-o também, perceba que é uma cópia de você, apenas mais desgastada e triste.

Agora ele está mais calmo e você poderá ter uma conversa com ele. Vamos nos preparar para isso.

Veja que as esferas estão sumindo, contudo, vocês não podem se tocar agora.

Não receie o encontro, mas não o toque por agora, apenas fale com ele. Pergunte-lhe as razões de suas tristezas e desgastes. Indague o que quiser ou apenas sinta-o. Fique assim por algum tempo.

Vá procurando sentir as palavras que vamos dirigir-lhe:

Quero conhecê-lo melhor, meu homem velho, e propor-lhe uma amizade.

Sou o responsável por você, sou seu criador, então não posso querê-lo mal. Pelo contrário, quanto mais amadureço, mais o amo e respeito, sem recriminação nem repúdio.

Só quero que entenda que não posso mais ceder a seus pedidos. Conheci Jesus e desejo intensamente os ensinos do Mestre. Perdoe-me, mas não posso mais atender a seus desejos, que, na verdade, eram os meus em outro tempo.

Amo você, pode acreditar, embora nem sempre saiba lidar fraternalmente com seus convites. Mas estou aqui para isso: aprender a sentir seu calor emocional sem medo nem cobranças.

Venha comigo! Você não necessita mais das formas infelizes do prazer que lhe ensinei, venha! Existem outras coisas que quero lhe ensinar. Serei paciente. Sentaremos assim, na relva, um ao lado do outro, e ficaremos longamente olhando o horizonte.

O fato de não concordar com suas propostas não significa que o queira mal, tenho agora outras metas e não posso traí-las

Sua energia pode ser muito útil a esses novos propósitos, e as metas podem ser nossas. Venha, ajude-me!

Quero lhe dar vida, pois do contrário ficará preso ao passado, ficará só, cultivando desejos irrealizáveis, ferindo-se. Disse Jesus: "Vinde a mim os cansados e oprimidos, eu vos aliviarei..."

Se hoje eu ceder às suas propostas, serei o infeliz, o solitário, o arrependido e, além disso, prejudicaremos outras pessoas, como fizemos outrora.

Dê-me suas mãos (mentalize suas mãos estendidas com jatos de luz verde-claro e muito amor; toque as mãos dele).

Ele tem receios, abaixa a cabeça, sente-se humilhado, sem rumo.

Olhe em meus olhos, sinta meu sentimento de amor por você. Você é meu filho e eu o amo como filho.

Venha, abrace-me, Jesus vai nos abençoar.

Faça agora o encontro Divino e redentor. Vá, abrace-o com muito amor, dê-lhe um terno e longo abraço e permaneça sentindo as emoções desse encontro por algum tempo.

Seu homem velho renova-se em luz e se funde com você em paz.

Procure retornar ao ambiente sensório lentamente trazendo consigo essa sensação de felicidade, de autoamor.

Repita sempre a vivência. O êxito dependerá da disciplina na assiduidade e no cultivo do desejo de melhorar sua vida integral.

Seja feliz sempre. Todos nós temos um incomparável valor perante a vida, compete-nos descobri-lo e viver plenamente.

Capítulo 14

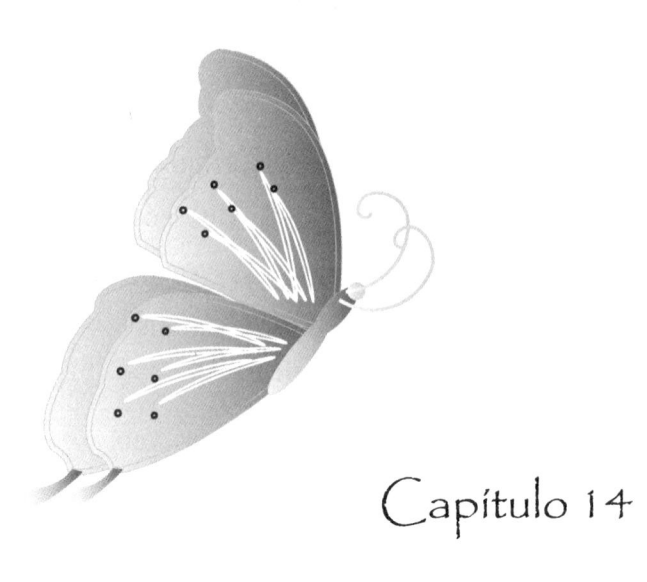

Imunidade psíquica

"O médium que queira gozar sempre da assistência dos bons Espíritos tem de trabalhar por melhorar-se."

"O médium que compreende o seu dever, longe de se orgulhar de uma faculdade que não lhe pertence, visto que lhe pode ser retirada, atribui a Deus as boas coisas que obtém."

O Evangelho Segundo o Espiritismo
Capítulo 28 - item 9

As tarefas sucediam-se, uma após outra, no Hospital Esperança[20]. A obra de amor do apóstolo sacramentano tornou-se polo dispensador das bênçãos da Complacente Misericórdia.

Naquela manhã, antes de o Sol afugentar a madrugada, preparávamo-nos para mais uma caravana de aprendizado. Iríamos acompanhar Dona Maria Modesto Cravo[21] em atividade de assistência fraternal na Terra. Convidamos uma pequena equipe de jovens que faziam seus primeiros estágios de aprendizado na crosta, depois de alguns meses da adaptação pós-desencarne.

Rumamos para o local previamente combinado, e lá encontramos dona Modesta e outros amigos do Hospital. Após os cumprimentos, ela nos explicou a atividade com detalhes, nesses termos:

— Nossa intercessão desta hora é providência de urgência em favor de Cesário, dedicado médium da seara espírita. Nosso irmão tem se apresentado com disposições valorosas ao trabalho, razão pela qual as investidas espirituais perseguem-no com programação perseverante.

Aproximamo-nos do médium oferecendo liberdade aos jovens componentes da equipe, pois a cena era muito educativa.

---
20 Obra de amor no plano espiritual fundada por Eurípedes Barsanulfo.
21 Maria Modesto Cravo nasceu em 1899 e desencarnou em Belo Horizonte, em 8 de agosto de 1964. Uma das pioneiras do Espiritismo em Uberaba, atuou com devotamento no Centro Espírita Uberabense e no Lar Espírita. Médium de excelentes qualidades, trabalhadora incansável do amor ao próximo e mulher de muitas virtudes, dona Modesta, como era conhecida, foi a fundadora do Sanatório Espírita de Uberaba, voltado para o tratamento dos transtornos mentais, inaugurado em 31/12/1933 e em plena atividade até hoje. Foi nessa casa de amor que se tornou conhecido o valoroso companheiro Dr. Inácio Ferreira, médico psiquiatra e um dos baluartes do bem.

Cesário estava se preparando para as atividades do dia em seu lar, por meio da oração. No entanto, à porta de sua residência, uma chusma de almas se postava em atenciosa expectativa. Percebemos nítido halo magnético, provindo das dependências de sua casa, abrangendo larga faixa de espaço até a vizinhança, impedindo a entrada daqueles que, certamente, estavam à espreita da oportunidade para alguma iniciativa infeliz.

Cesário preparava-se para sair e notamos intensa movimentação. Dona Modesta fez um sinal ao irmão Ferreira, experiente companheiro dos serviços de defesa, e vimos toda a sua equipe em atitudes que bem recordavam os momentos que antecedem os combates da Terra. Cesário tomou a direção da rua com seu veículo, e o vozerio da turba foi ouvido com estrondo. Dona Modesta, na condição de condutora do trabalho, pediu-nos a prece, o que fizemos com emoção. Após a oração, a visão espiritual de todos nós aguçou-se e constatamos, ao lado do médium, sua amorosa benfeitora envolvendo-o em dulçorosa paz. Um anel magnético muito luminoso, com cores violeta-prateadas acomodava-se sobre a cabeça de Cesário, como se fosse uma boina com a parte superior aberta. Constatávamos que petardos de matéria enfermiça eram atirados sobre o servidor, mas eram dissolvidos integralmente por alguma força especial que partia desse anel. Os jovens, curiosos, mas vigilantes nos serviços de apoio, olhavam para mim como a rogar orientação para a hora que se prenunciava como sendo portadora de gravidade.

Observamos, então, que o trabalhador da mediunidade, tão logo dispôs de alguns momentos, estacionou seu automóvel em razão de súbito mal-estar mental. Sentia pelos canais medianímicos que algo não estava bem. Recorreu à prece e percebeu que estava sendo alvo de um ataque de adversários do amor. Tomou a iniciativa de criar um laço consistente com sua mentora, estabelecendo um clima de segurança, buscou a leitura refazente e orou com carinho pelos que o atacavam, pedindo a Jesus pelo bem de todos eles. Irmão Ferreira, com sua equipe de colaboradores, utilizava-se de recursos eficazes de proteção. Rapidamente constatamos que a cilada foi frustrada, e todos nos reuníamos à dona Modesta para agradecer a Deus e aprender um pouco mais. Assim que foram encerradas as atividades, a devotada servidora do Cristo colocou-se à disposição dos jovens aprendizes para as oportunas indagações. Sérgio tomou a palavra e disse:

— Dona Modesta, podemos classificar as atividades desta hora como uma desobsessão?

— Certamente. Podemos dizer que é um gênero específico de obsessão. Comumente encontramos três tipos de almas nos capítulos da obsessão: os nossos credores de outros tempos, os oportunistas que criam vínculos pela invigilância humana e os declarados adversários do bem.

— Em que caso se enquadram os agressores de Cesário?

— São adversários ferrenhos do Espiritismo, que procuram atormentá-lo. É um caso típico de obsessão controlada.

— Obsessão controlada?!

— Nosso irmão apresenta o recurso da imunidade psíquica com o qual nos permite uma tarefa de parceria. Ele é usufrutuário de um contrato de assistência permanente em razão dos méritos a que se fez credor.

Enquanto Sérgio interrogava, os demais amigos mal continham sua ânsia de saber. Prenunciando a curiosidade de todos, o coração querido de Pedro Helvécio, que nos acompanhava a tarefa, dirigiu a palavra à nossa instrutora buscando sintetizar as questões:

— Dona Modesta, explique-nos, por caridade, sobre aquele anel luminoso na cabeça de Cesário.

— Sim, Helvécio. É uma criação de almas superiores em favor da obra do bem que todos, pouco a pouco, estamos construindo na Terra. Chama-se imunizador psíquico. Composto de material rarefeito, mas de alta potência irradiadora de ondas mentais de curta frequência, é um aparelho de defesa mental que concede ao médium melhores recursos no desempenho de sua missão.

Tomada de um impulso, Rosângela, outra integrante de nosso grupo, que serviu com louvor às fileiras do Protestantismo, indagou:

— Todos os médiuns carregam esse anel?

— Não, minha jovem. O imunizador psíquico é uma concessão da misericórdia. Fruto de um planejamento no tempo...

— O que fez Cesário para merecê-lo? Será um "espírito santo" com elevada missão? Terá ele algum mandato diante de Deus?

— Cesário vem se dedicando à tarefa da educação de si mesmo como todos os tarefeiros da Nova Revelação. Não é portador de missões especiais nem dotado de grande elevação moral. Sua qualidade mais saliente, por enquanto, é a devoção persistente que apresenta, ininterruptamente, durante duas décadas no serviço mediúnico socorrista de almas perturbadas.

— Quer dizer, então, que após um período de serviços de vinte anos os médiuns podem receber semelhante graça?

— Compreendo sua terminologia, considerando sua formação evangélica, mas não se trata de graça, Rosângela, e sim de mérito, justiça e complacência divina. Nosso irmão perseverou durante esse tempo, mas além disso integrou o escasso grupo dos servidores doutrinários que apresentam uma rara qualidade.

— E qual é essa qualidade, dona Modesta?

— Cooperativismo cristão. Apesar de suas vivências doutrinárias restringirem-se a uma casa espírita, desde os seus primeiros passos nos projetos doutrinários tem se oferecido pelo bem de outras agremiações, desenvolvendo um estimável labor coletivo na seara. Graças a isso, tem chamado a atenção dos inimigos da causa, que procuram desanimá-lo do ideal com sorrateiras armadilhas. Sua sincera disposição de melhoria espiritual é seu verdadeiro recurso imunizador, todavia, algumas almas superiores analisaram o pedido de sua amável mentora para que lhe fosse prestado esse benefício para alento e estímulo.

Sérgio, mais uma vez, retornou com outra pergunta:

— Será sensato entender essa concessão como prêmio?

— Prêmio, meu filho, à luz do Evangelho, significa recurso para trabalhar mais, e nosso companheiro encarnado já entendeu isso. Ele tem claramente estabelecido para si mesmo a consciência da concessão da qual foi alvo e com que objetivos lhe foi outorgada. Tão logo foi implantado o anel em seu cérebro, ele passou a experimentar maior capacidade de domínio interior que suavizou as dores íntimas e ampliou suas percepções extrafísicas. Sua avaliação, entretanto, ao invés de convergir para uma ideia vaidosa de dotes morais adquiridos ou virtudes conquistadas, conduziu-se para o que expressa as intenções nobres do Plano Superior em relação ao seu dever, ou seja, amparo para melhor servir. Dessa forma, em regime de parceria que amadurece a cada dia, temos condições de manter as obsessões de nosso irmão sob controle rigoroso e proveitoso.

— Perdoe-me a infantilidade, dona Modesta, mas não posso deixar de expor meu pensamento: não haveria aqui alguma parcialidade na ajuda a Cesário?

— Absolutamente, Sérgio, não existe. Não se sinta tão infantil por perguntar. É um raciocínio comum para quem veio da Terra há tão pouco tempo como você. Pediria ao nosso

Helvécio que pudesse ler para nós aquele conhecido trecho de *O Livro dos Médiuns*, para esclarecimento de todos.

Compulsando a obra do codificador sem nenhuma dificuldade e como quem já esperava semelhante pedido de dona Modesta, o nosso amigo destacou o item 268, questões 19 e 20, que dizem:

"Poderiam os Espíritos superiores impedir que os maus Espíritos tomassem falsos nomes? Certamente que o podem; porém, quanto piores são os Espíritos, mais obstinados se mostram e muitas vezes resistem a todas as injunções. Também é preciso saibais que há pessoas pelas quais os Espíritos superiores se interessam mais do que outras e, quando eles julgam conveniente, preservam-nas dos ataques da mentira. Contra essas pessoas os Espíritos enganadores nada podem."

"Qual o motivo de semelhante parcialidade? Não há parcialidade, há justiça. Os bons Espíritos se interessam pelos que usam criteriosamente da faculdade de discernir e trabalham seriamente por melhorar-se. Dão a esses suas preferências e os secundam; pouco, porém, se incomodam com aqueles junto dos quais perdem o tempo em belas palavras."

Terminada a leitura, como se nada mais restasse a perguntar, nossa instrutora concluiu com orientações que somente poderiam vir de um coração tão generoso e experiente nas questões da mediunidade:

— O médium em questão não está isento de sua luta autoeducativa em razão dos anéis defensivos, e sempre tem sido lembrado sobre isso em suas incursões noturnas fora do corpo. Esse artefato de proteção é implantado no corpo sutil entre o cérebro e o corpo perispiritual, junto do centro coronário, mediante uma verdadeira cirurgia que lembra um transplante... E, assim como nos transplantes orgânicos, pode haver a rejeição, igualmente no tema em foco, se nosso irmão não continuar se alimentando dos benefícios do sentimento da fé e do amor, sustento das nobres realizações. Poderá ocorrer uma suspensão natural da imunização psíquica. Até agora, entretanto, Cesário vem demonstrando bom proveito relativamente ao alívio mental da sobrecarga de vibrações que lhe são desfechadas, utilizando-se desse empréstimo para investir mais no trabalho do bem. Dia virá, porém, em que suas defesas naturais superarão os recursos defensivos do anel protetor, e ele não mais terá a mesma função. Nessa ocasião, como sempre acontece com outros medianeiros, dentre os poucos que se fazem credores desse tipo de amparo, sua benfeitora, obviamente, lhe oferecerá outros créditos, sempre visando à expansão da luz de todos. Os recursos nesse sentido são infinitos, como expressões do Amor do Pai.

Arrematando sua fala sempre sincera e bem-humorada, dona Modesta assim encerrou sua lição:

— Importante considerar que o anel lhe propicia proteção, inclusive em relação às bombas mentais dos encarnados que não lhe são tão simpáticos aos esforços no bem coletivo. E não imaginem que seja de fora das lides doutrinárias a origem dessas forças contrárias. Essa é uma questão que deveria merecer de todos os espíritos encarnados uma investigação mais séria, porque, pelo que temos constatado, as obsessões de homem para homem são mais comuns do que imaginam nossos irmãos encarnados. E sem querer decepcionar ninguém, sou obrigada a concluir que, mesmo clareados com a luz do Espiritismo, existe muito espírita obsidiando espírita... Quem sabe, além do gênero que já mencionei sobre as obsessões controladas, poderíamos classificar mais esse tipo no capítulo das interferências obsessivas, talvez com o título *obsessão espírita*!

Capítulo 15

Diálogo sobre ilusão

"Rainha entre os homens, como rainha julguei que penetrasse no reino dos céus! Que desilusão! Que humilhação, quando, em vez de ser recebida aqui qual soberana, vi acima de mim, mas muito acima, homens que eu julgava insignificantes e aos quais desprezava, por não terem sangue nobre!" - Uma Rainha de França. (Havre, 1863.)

O Evangelho Segundo o Espiritismo
Capítulo 2 - item 8

O que são as ilusões?[22]

Definamos ilusão como sendo aquilo que pensamos, mas que não corresponde à realidade. São percepções que nos distanciam da Verdade. Existem em relação a muitas questões da vida, tais como metas, cultura, comportamento, pessoas, fatos. A pior das ilusões é a que temos em relação a nós: a autoilusão.

Qual a causa das ilusões?

As ilusões decorrem das nossas limitações em perceber a natureza dos sentimentos que criam ou determinam nossos raciocínios. Na matriz das ilusões encontramos carências, desejos, culpas, traumas, frustrações e todo um conjunto de inclinações e tendências que formam o subjetivo campo das emoções humanas.

Por que a senhora citou a autoilusão como a pior das ilusões?

O iludido pensa muito o mundo negando senti-lo, um mecanismo natural de defesa diante das dificuldades que encontra em lidar com suas emoções. Esconde-se atrás de uma imagem que criou de si mesmo para resguardar autoridade social ou outro valor qualquer que deseje manter.

O objetivo da reencarnação consiste em nos desiludir sobre nós mesmos pela criação de uma relação libertadora com o mundo

---
22 Nota da editora: as perguntas deste texto foram elaboradas pelo médium.

material. Se não buscamos essa meta, então caminhamos para a falência dos planos de ascensão individual.

Conforme a resposta anterior, o iludido esconde-se de quê?

De si mesmo. Criando um eu ideal para atenuar o sofrimento que lhe causa a angústia de ser o que é – a criatura foge de si e vive em esconderijos psíquicos.

Mas por que se esconde de si mesmo?

Em razão do sentimento de inferioridade que ainda assinala a caminhada da maioria dos habitantes da Terra. Iludimo-nos por meio de um mecanismo defensivo contra nossa própria fragilidade que, pouco a pouco, vamos extinguindo. Negar o que se sente e o que se deseja é o objetivo desse mecanismo. Uma forma que a mente aprendeu para camuflar o sentimento de inferioridade da qual o espírito se conscientizou em algum instante de sua peregrinação evolutiva.

Então, Iludimo-nos para nos sentirmos um pouco melhores, seria isso?

Autoilusão é aquilo em que queremos acreditar sobre nós mesmos, mas que não corresponde à realidade do que verdadeiramente somos. É a miragem de nós mesmos ou aquilo que imaginamos ser. Uma vivência psíquica resultante da desconexão entre razão e sentimento. É a crença na imagem idealizada que criamos no campo mental. É aquilo que pensamos que somos e desejamos que os outros creiam sobre nós.

Nós, espíritas, temos ilusões?

Responderei com clareza e fraternidade: sim, muitas ilusões. O iludido, quando ambicioso, atinge sem perceber as raias da usura; quando dominador, chega aos cumes da manipulação; quando vaidoso, eleva-se aos pântanos da supremacia pessoal; quando cruel, atola-se no lamaçal do crime; quando astuto, atira-se às vivências da intransigência; quando presunçoso, escala os cumes da arrogância; e, mesmo quando esclarecido espiritualmente, lança-se aos cumes do exclusivismo ostentando qualidades que, muita vez, são adornos frágeis com os quais esnobam a superioridade que supõem possuir.

Poderia dizer a nós, espíritas, algo sobre nossas ilusões?

Existe uma tendência à autossuficiência entre os depositários do conhecimento espírita. Discursam sobre a condição precária em que se encontram, assumindo a condição de almas carentes e necessitadas, todavia, em oposição a isso, agem como se fossem salvadores do mundo, com todas as respostas para a humanidade. Essa incoerência na conduta é provocada pela ilusão que criaram do papel do espírita no mundo...

O Espiritismo é excelente; nós, espíritas, nem tanto... Nossa condição real, para quem deseja assumir uma posição ideal perante a si mesmo, é a de almas que apenas começaram a sair do primitivismo moral. Alegremo-nos por isso!

Essa autossuficiência seria orgulho?

O orgulho promove essa condição, é a mais enraizada manifestação da ilusão, é a ilusão de querer ser o que imaginamos que somos. Essa é a pior ilusão, a autoimagem falsa e superdimensionada de nós mesmos. Essa autoilusão é sustentada por uma cultura de convenções acerca do que seja ser espírita, um resquício do velho hábito religioso de criar estampas pelas quais serão reconhecidos os seguidores de alguma doutrina. Nesse caso, a ilusão desenvolvida chama-se ideia de grandeza.

Muitas pessoas desejariam sair prontas para testemunhos após pequenos exercícios de espiritualização no centro espírita, entretanto, por ignorarem sua real condição espiritual, fazem da casa doutrinária um templo de aquisição da angelitude imediata. Querem sair prontos e perfeitos das tarefas e estudos, quando o objetivo de tais iniciativas é capacitar de valores intelecto-morais para repensar caminhos e encontrar respostas para as encruzilhadas da alma nas refregas da existência.

O que é essa autoimagem falsa?

Uma construção mental que se torna a referência para nossas movimentações perante a vida. É uma cristalização mental, uma irradiação que cria uma rotina escravizante nos sentimentos, permitindo-nos viver somente as emoções em uma faixa de segurança, a fim de não perdermos o status da criatura que supomos ser e queremos que os outros acreditem que somos. O que pensamos sobre nós, portanto, determina a imagem mental indutora dos valores íntimos. Se o raciocínio sofre distorções da ilusão, então viveremos sem saber quem somos.

Como é construída essa autoimagem?

Por meio das vivências intelecto-afetivas de todos os tempos, desde a criação.

Onde ela permanece?

No corpo mental. Sua maior expressão é conhecida pelas operações do departamento da imaginação, no reino da mente.

Quer dizer que, além da autoimagem, temos um eu real diferente do "eu crístico" que ainda não conhecemos?

Sim. Temos um eu real que estamos tentando ignorar há milênios. Essa parcela de nós é a sombra da qual queremos fugir.

Todavia, o contato com essa zona inconsciente nos revela não só motivos de dor e angústia, mas, igualmente, a luz que ignoramos estar em nossa intimidade à espera de nossa vontade para ser utilizada.

Aqui chamamos a atenção dos nossos parceiros de ideal para o cuidado com o processo da reforma interior. Existe muita idealização confundindo aprendizes que imaginam estar dando saltos evolutivos em direção a esse eu real, entretanto, em verdade, estão se movimentando na esfera do eu idealizado.

Poderia explicar mais profundamente essa questão dos saltos evolutivos?

É um tipo de ilusão que normalmente assalta os religiosos de todos os tempos. Imaginam-se muito melhorados a partir do contato com alguma diretriz ou prática religiosa e, então, passam a viver uma vida idealizada, um projeto de *vir-a-ser*. É uma ilusão de que se está fazendo a renovação, apenas uma idealização. Uma forma de se comportar desconectada do sentimento, um adorno moral para nossas atitudes; é o discurso sem a vivência. O nome mais conhecido desse comportamento é puritanismo.

Como distinguir idealização de mudança verdadeira?

Na idealização pensamos o que somos e, como consequência, vivemos o que gostaríamos de ser, mas ainda não somos. É o hábito das aparências.

Na reforma íntima sentimos o que somos, e como consequência vivemos a realidade do que somos com harmonia, ainda que nos cause muitos desconfortos. É o processo da educação gradativa.

Na idealização vive-se em permanente conflito por se tratar, em parte, de uma negação da realidade, enquanto na reforma autêntica a criatura consegue penetrar os meandros dos sentimentos-causais, encontrando uma convivência pacífica consigo e aceitando-se sem se acomodar em direção a melhoras mensuráveis.

Como vencer nossas ilusões?

Desapegando-se da autoimagem falsa que fazemos de nós mesmos. Desapaixonando-se do "eu". Para isso, somente o autoconhecimento.

Havendo esse desapego, conseguiremos libertar os sentimentos para novas experiências com o mundo e, consequentemente, com nosso eu profundo. Isso desencadeará um processo de resgate de nós mesmos, venceremos a condição de reféns de nosso passado escravizante, saindo da roda viciosa das emoções perturbadoras, quais sejam, o medo, a culpa e a insegurança.

O processo da desilusão custa sorver o fel da angústia de saber quem somos e carregar o peso do sacrifício de cuidar dessa personalidade nova que renasce exuberante. Independentemente do quão doloroso seja, é preferível experimentá-la enquanto encarnados a ter de purgá-la na vida espiritual.

Assinalemos alguns exercícios de desapego dessa paixão que nutrimos pela imagem irreal que criamos de nós mesmos:

- Fazer as pazes com as imperfeições.
- Abandonar os padrões fixos e aprender a se valorizar com respeito.
- Descobrir sua singularidade e vivê-la com gratidão.
- Coragem para descobrir seus desejos, tendências e sentimentos.
- Exercitar a autoaceitação por meio do perdão.
- Munir-se de informações sobre a natureza de suas provas.

- Aprender a ouvir com atenção o que se passa à sua volta.
- Dominar o perfeccionismo nutrindo a certeza de que ser falível não nos torna inferiores.
- Valorizar afetivamente suas vitórias.
- Descobrir qualidades, acreditar nelas e colocá-las a serviço das metas de crescimento.

Paulo, o apóstolo da renovação, indica-nos uma sublime recomendação que nos compele a meditar sobre a natureza de nossos sentimentos em torno da mensagem do amor. Sugerimos que esse seja nosso roteiro na vitória sobre as ilusões: "Olhais para as coisas segundo as aparências? Se alguém confia de si mesmo que é de Cristo, pense outra vez isto consigo..."[23]

---

23 II Coríntios, 10:7

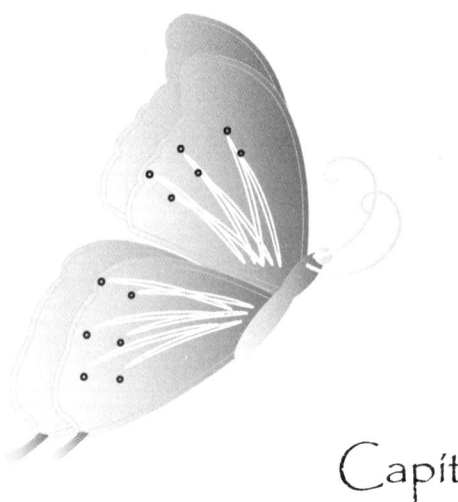

Capítulo 16

Lições preciosas com Dr. Inácio

"Aquele que, médium, compreende a gravidade do mandato de que se acha investido, religiosamente o desempenha."

O Evangelho Segundo o Espiritismo
Capítulo 28 - item 9

Era véspera dos dias carnavalescos nas terras brasileiras, época de intensos labores entre as dimensões de vida física e espiritual. O Hospital Esperança por inteiro aprontava-se para o momento tormentoso. Cooperadores de variadas funções eram convocados em colônias e postos próximos, no intuito de prestarem serviço extra à nossa comunidade. Nosso regime seria plantão permanente.

Encontrávamo-nos na tarefa de acolhimento a novos corações em sofrimento no pavilhão dirigido pelo bem-humorado Dr. Inácio Ferreira[24]. Médiuns e mais médiuns se alojavam nas enfermarias em condições das mais lamentáveis.

A experiência de um dia nesse setor nos oferece material para um livro de vastas proporções, considerando a grandiosidade das experiências ali recolhidas.

Dr. Inácio, com a devoção de sempre, atendia com louvor. Percebia-se nitidamente em sua face o desgaste proveniente das lutas daqueles dias, mas continuava firme e gracejante.

Em certo momento, fomos à ala que se compunha dos pacientes em condições medianas de melhoria. Chegamos juntos, Dr. Inácio sempre acompanhado por outros especialistas da vida psíquica, padioleiros e auxiliares. A equipe fazia-se de nove cooperadores, na qual também nos incluíamos.

---
24 Devotado trabalhador espírita da cidade de Uberaba.

Júlio, médium recém-desencarnado havia alguns meses, padecia naquele instante de crises vigorosas no campo mental, que o assaltavam com ideias atormentadoras em torno dos vícios carnais.

A equipe dividiu-se em duas e ficamos com nosso diretor naquela tarefa de socorro.

Júlio mostrava-se inquieto, como se fosse desfalecer. Uma energia de coloração fraca na cor acinzentada, com pequenos filetes arroxeados ao centro, emanava de sua garganta em direção ao corredor central daquela ala. Dr. Inácio deixou os auxiliares tomando providências e solicitou-me não perder a clarividência daquela hora, a fim de seguirmos a faixa vibratória que havia detectado. Andamos por mais de cem metros rumo às dependências de maior dor, nas quais eram colocados os doentes mais graves. Notamos que a coloração daquela exalação energética tomava conotações mais fortes, e podíamos agora ouvir vozes que saíam dela com clareza de definição, cujo teor era um pedido desesperado.

Seguindo a trajetória indicada por aqueles raios de baixo teor, chegamos até um quarto onde estava sendo atendido um jovem. Medidas de contenção e calmaria eram tomadas para beneficiá-lo. Foi uma tarefa longa que nos pediu muito amor.

Já um tanto mais refeito, aproximamo-nos daquele coração sofrido, que se dirigiu ao Dr. Inácio:

— Doutor, não vou aguentar, não vou aguentar isso. Esse tratamento não é para mim.

— Acalme-se, Euzébio, para não perder a ajuda desta hora.

— Desse jeito vou enlouquecer!

— Você está no lugar certo, então, porque aqui somos todos mais ou menos loucos – como de costume, nosso diretor era pura graça elevada, mesmo nos instantes mais sérios.

— Preciso de pelo menos uma "encostadinha". O senhor não vai poder fazer isso por mim? E para onde foi levado o Júlio? Por que esse arrancão de uma só vez? Nós nos dávamos tão bem!

— Meu amigo, não poderei lhe dar todas as informações que você quer saber. Quanto à "encostadinha", poderei providenciar, mas dependendo de sua recuperação.

— O senhor fala sério?

— E alguma vez falei algo brincando? – novamente com o sorriso de brincadeira, Dr. Inácio olhou para mim e deu uma piscadela de puro humor.

— Mas quem servirá a mim, doutor?

— Palavra bonita usou você agora. Realmente utilizaremos outro instrumento, e ele nada mais fará que servi-lo em suas necessidades.

— Por quanto tempo poderei ficar ao lado dele?

— Quinze minutos!

— Mas doutor, isso não vale nada! Não dá para fazer nada nesse tempo.

— Exatamente! Você não vai fazer nada, quem vai agir dessa vez é o médium sobre você, e não o inverso.

— Mas como, doutor? E isso vai me apaziguar as sensações?

— Mais do que você imagina. Será um remédio temporário que vai lhe fazer enorme bem, mas... Como já disse, você terá de mostrar o mínimo de condições para conseguirmos a autorização.

— Autorização?!

— Sim, aqui nada acontece sem autorização, ou você acha que vai poder continuar suas obsessões como bem quer? Se for assim, terei de lhe dar alta, porque o que não falta na Terra é gente querendo ser obsidiada...

— Não consigo entender, não consigo...

— Entenderá. Você é um rapaz esperto e inteligente! Dentro de três dias retornarei aqui para saber de seu estado. Antes disso, nem pensar, porque o ambiente da Terra não está para qualquer um nesses dias carnavalescos. A preferência é para os antigos chefes e negociadores, que serão, muitos deles, socorridos nas várias atividades erguidas nesta época.

Notei que Euzébio era um paciente em recuperação lenta, porém auspiciosa. Ao sairmos da ala, tivemos alguns breves momentos de conversa e pude, então, me inteirar dos detalhes.

— Veja só, Ermance. Ainda há quem pense, nos centros espíritas, que nós podemos fazer tudo por aqui no mundo das almas. Com essa tese absurda, muitos trabalhadores e grupos inteiros têm se afastado da mediunidade socorrista, alegando que o plano espiritual pode atender a tudo sem participação humana!

— Compreendo, Dr. Inácio.

— Mal sabem os homens o que significa para milhões de corações apegados à matéria o simples contato com o corpo físico de um médium...

— Não seria o caso de enviarmos algo por escrito a nossos irmãos na Terra?

— Se você quiser abrir o véu... Eu, de minha parte, tenho levado as informações que posso, todavia, já vejo um monte de "lenha armada" entre os puristas da Doutrina para assar o médium e o espírito. Já há quem diga no plano físico, depois das obras que enviei[25], que Dr. Inácio não ficou louco quando no sanatório de Uberaba[26], mas sua loucura surgiu depois de morto...

— Que nada, doutor. É que tudo tem sua hora.

— Contudo, se desejar transpor as convenções, explique que esse fenômeno se assemelha muito ao vampirismo, no qual os espíritos sugam forças e sensações dos corpos físicos. A diferença é que fazemos um trabalho de alocar o desencarnado nas energias grosseiras emanadas do corpo do médium no intuito de aplacar necessidades muito específicas de almas ainda muito presas a sensações.

— Isso não daria um efeito contrário, ou seja, a entidade auxiliada não ficaria com mais desejo ainda de continuar cultivando essas impressões?

— O corpo físico, para quem dele não se desprendeu mentalmente, pode ser chamado de um vício. Talvez, Ermance, o mais velho vício de todos – exclamou o experiente diretor em tom quase poético.

— A psicofonia, então, ainda é uma mediunidade muito necessária, será isso?

— Não é psicofonia, é incorporação mesmo, e não se assuste de dizer. Como falam os umbandistas, sem nenhum exagero, os médiuns nessa circunstância se tornam "cavalos"...

— Não corre o risco de lhes fazer mal?

— Boa pergunta, amiga! Boa pergunta! Se isso for uma possibilidade, então nem tentaremos.

— E o que determina essa questão?

---
25 Obras mediúnicas enviadas pelo médium Carlos A. Baccelli cujos títulos são: *Sob as Cinzas do Tempo, Do Outro Lado do Espelho, Na Próxima Dimensão*.
26 Referência ao tempo em que era diretor do Sanatório Espírita de Uberaba.

— A qualidade do médium. Já pensou se vou colocar uma criatura como Euzébio, que foi um alambique ambulante, ao lado de um médium que adora bebericar umas e outras?!

— O que há de tão especial no corpo dos médiuns que aplaca as sensações de apego dessas criaturas?

— Energia, minha filha. Muita energia de teor incomparável a qualquer uma das formas de força que são capazes de criar as máquinas avançadas em nosso plano. Mesmo aqui a natureza não pode ser imitada com perfeição. Corpo é corpo, criação divina e natural. Não existe nada igual. Levamos muitos deles às reuniões bem conduzidas apenas para o contato. Alguns nem se comunicam.

— Essa seria, então, a explicação para alguns desconfortos físicos dos médiuns?

— Que nada! Esse é apenas um dos infinitos casos que podem dar um bocado de dor de cabeça aos médiuns.

— Qual o índice de melhora dos assistidos?

— Pergunta difícil, todavia posso te afiançar, Ermance, que existe um caso que tem se avolumado a cada dia, de almas que só podem ser atendidas por esse processo, cujo resultado é imediato e muito satisfatório.

— Seriam os suicidas?

— Os suicidas, hoje, já dispõem de muitos recursos, graças ao avanço dos casos que ensejaram o erguimento de muitas obras de amor e tecnologias próprias, que os livram pelo menos dos pesadelos, conquanto a dor seja quase a mesma. Falo dos casos de hibernação psíquica na nossa ala de hebetados, mais abaixo de nossos pés. Espíritos que já se esqueceram do que é a sede, a fome, a dor, a alegria, o descanso.

Vivem fora desse mundo. Muitos já não reencarnam há mais de 10.000 anos. São casos que os centros espíritas raramente têm atendido, considerando o despreparo dos médiuns e a falta de visão sobre a realidade extrafísica. Os espíritas, você sabe, acham que sabem tudo sobre plano espiritual somente porque atendem aquele monte de "almas penadas" que ficam pedindo lenço e colo para desabafar suas mágoas – como de costume, Dr. Inácio não deixava sua autenticidade e objetividade.

— Seria demais dizer que esses casos de incorporação seriam obsessões temporárias ou programadas?

— Nos casos de médiuns ajustados, sim, porque o que eles passam no campo mental é um clima de esquizofrenia relâmpago enquanto sob ação dessas criaturas. Contudo, os casos de muitos médiuns que deram adeus a Jesus Cristo e ficaram com seu personalismo caminham para o que ocorreu com Júlio e Euzébio, que acabamos de visitar: uma obsessão compartilhada que continua além-paredes do próprio túmulo.

— De que condição específica teriam de cuidar os médiuns para se apresentarem em boas condições nessa tarefa?

— Frequentar menos churrascos e abandonar a cervejaria das ilusões. Fazer sexo somente para viver em relativa paz, e não viver para pensar em sexo. Quanto ao cigarro, nem vou falar, porque não sou autoridade no assunto[27]. Disciplinar os prazeres físicos para que tenham objetivos enobrecedores e educativos, eis a questão.

— Quer dizer que os médiuns que ainda experimentam essas vivências do homem comum não apresentam muita utilidade nessa tarefa?

---

27 Dr. Inácio relata em suas próprias obras, acima referidas, seu drama pessoal com o tabagismo.

— Depende de seu sentimento. O corpo não purificado é, para essas almas, um ímã de atração poderosa, que as estimula e gratifica sem saberem as causas. Entretanto, com aqueles medianeiros que guardam o vaso físico santificado pela conduta reta, os sentimentos são como mãos a direcionar esse ímã para o Mais Alto. Nesse último caso, cada contato vale por uma intensa e vigorosa ordem de elevação, despertando o desejo de crescer e recomeçar nos assistidos. No entanto, é preciso dizer que está cheio de fumante indo para as mediúnicas com o coração repleto de amor, e acabam servindo do mesmo jeito, na falta de alguém em condições mais apropriadas. Evidentemente, nesse caso, os riscos são enormes.

— Que riscos?

— De o comunicante gostar do médium e o médium do comunicante. Nesse caso, a incorporação pode avançar para uma baita obsessão. Por isso preferimos analisar cada história e cada médium. Em resumo, posso lhe adiantar que os instrumentos mediúnicos para esse mister são poucos.

— Júlio seria um desses casos?

— Não. Júlio é daqueles casos que são a maioria. Nem trabalhou o quanto podia, nem se livrou do que devia. Qualquer forma de distanciamento do vício físico para os médiuns ou não médiuns é sempre saudável, no entanto, somente a consciência clara das razões de deixá-los para sempre é que trarão mudanças em sua matriz, o sentimento. Por mais esclarecimento, se não sentimos a vontade de mudar, não mudamos. É preciso sentir, porque no fundo a raiz de todos os vícios está no sentimento de egoísmo.

Ao terminar sua fala, sempre contagiante e descontraída, Dr. Inácio Ferreira ainda acrescentou:

— É por essas e outras infinitas razões, minha amiga, que já não podemos mais permanecer no silêncio pernicioso que caminha para a conivência. O imaginário dos espíritas sobre a vida além da morte, apesar de ser rico em informações, anda distante daquilo que realmente vem sucedendo a quantos são envolvidos por fora pelas claridades do Espiritismo, mas que descuidam do serviço de se iluminar por dentro. Diria até que a questão é um pouco mais grave, isto é, para a maioria deles tem sido mesmo difícil discernir quando estão iluminados por fora ou por dentro...

As observações do ilustre Dr. Inácio são um roteiro claro e precioso que endossa a pequena frase da codificação: "Aquele que, médium, compreende a gravidade do mandato de que se acha investido, religiosamente o desempenha".

Capítulo 17

Por que melindramos?

"Até mesmo as impaciências, que se originam de contrariedades muitas vezes pueris, decorrem da importância que cada um liga à sua personalidade, diante da qual entende que todos se devem dobrar."

O Evangelho Segundo o Espiritismo
Capítulo 9 - item 9

Por que nos ofendemos? Por que temos tanta suscetibilidade em relação a tudo o que nos cerca? Quais as razões de encolerizar-nos perante fatos desagradáveis?

Eis três perguntas para as quais devemos dirigir nossa meditação, caso queiramos entender o que se passa conosco nos desafios do progresso espiritual.

Iniciemos nossas ponderações conceituando a palavra ofensa. Existe a ofensa por razões naturais, provenientes do instinto de defesa e preservação. Por meio dessas agressões, recebemos da mente os sinais de alerta para avaliarmos com melhor exatidão a conveniência e o grau de perigo ou importância do que nos cerca. É natural nos ofendermos com palavrões que causam dor aos ouvidos sensíveis; é natural nos ofendermos ao ver dois seres humanos se agredir; é mais que justo que nos ofendamos e tenhamos raiva ao sermos assaltados em uma rua; será muito natural nos ofendermos quando formos injustamente julgados pelas pessoas que nos conhecem. A ofensa tem sua faceta benéfica, porque não devemos aceitar tudo o que acontece à nossa volta passivamente, sem uma reação que nos faça sentir lesados ou ameaçados. O objetivo desse sentimento será sempre o de nos colocar a pensar na elaboração de uma conduta ajustada à natureza das agressões que sofremos.

Contudo, larga diferença vai entre a ofensa natural e o melindre, que é a reação neurótica às ofensas. Melindre é o estado afetivo doentio de fragilidade, que dilata a proporção e a natureza das agressões que sofremos do meio. Pequenas atitudes ou delicadas situações são motivos suficientes para que o portador do melindre se agaste terrivelmente, fechando-se em corrosivo sistema de mágoa e decepção com os fatos e as pessoas que lhe foram motivo de incômodos e contrariedade. Assim, aumenta a intensidade do fato e desgasta-se afetivamente com imaginações febris sobre a natureza das ocorrências que o afetaram.

Sabemos que a mágoa é o peso energético nascido das ofensas transportadas conosco dia após dia, como fosse um colesterol da alma, causando-nos males no corpo e no Espírito. Sabemos, também, que a irritação é como uma dura martelada no sistema nervoso, levando-nos ao estresse e à perda energética. Então, por que agasalhar semelhantes malefícios quando temos tanto esclarecimento?

Compreendamos algo sobre os mecanismos da ofensa e da cólera para avaliar as razões que nos inclinam a essa atitude de desamor e, fazendo assim, procuremos, igualmente, por meio do melhor entendimento, oferecer a nós mesmos o corretivo para os problemas de melindre e contrariedades do dia a dia.

Primeiramente, deixemos claro que na raiz do melindre e da ofensa está o orgulho. Vejamos o que nos diz o codificador a esse respeito: "Julgando-se com direitos superiores, melindra-se com o que quer que, a seu ver, constitua ofensa a seus direitos. A importância que, por orgulho, atribui à sua pessoa, naturalmente o torna egoísta".[28]

O que está por trás da grande maioria das ofensas humanas são as contrariedades, ou seja, tudo aquilo que não acontece como se gostaria que acontecesse. Contrariar, para a maioria das criaturas, significa ser contra aquilo que se espera, ser nocivo aos planos pessoais, ser prejudicial, ser desvantajoso. Nessa ótica, tudo aquilo

---
28 Allan Kardec, Obras Póstumas - primeira parte - "O Egoísmo e o Orgulho", p. 225 - 25ª edição - FEB.

que não ofereça alguma vantagem na nossa forma de conceber os benefícios da vida é algo inoportuno, indevido, que não deveria ter ocorrido, gerando reações no mundo íntimo, cujos reflexos poderão ser percebidos na criação de sentimentos de pessimismo, infelicidade, desapontamento, animosidade, tristeza e rancor.

Excetuando alguns casos de educação mal orientada na infância, esse vício de não ser contrariado foi adquirido pelo Espírito em suas diversas experiências reencarnatórias, nas quais teve todos os interesses pessoais atendidos a qualquer preço. É o velho hábito da satisfação plena dos desejos da personalidade que, dispondo de poder e recursos, não hesitou em colher sempre para si mesma os frutos dos bens divinos que lhe foram confiados nas anteriores experiências. Hoje, renasce em condições que limitam suas tendências de saciação egoísta, instaurando um delicadíssimo sistema de revolta silenciosa quando não consegue o atendimento de seus interesses, experimentando uma baixa tolerância a frustrações. Essa revolta é o movimento interior de repúdio da alma aos novos quadros de vida a que é lançada, nos quais é compelida, pela força das circunstâncias, a aprender a obediência aos ditames da Lei Natural, nem sempre afinados com seus gostos e aspirações individuais. Esse é o preço justo que pagamos pelo costume de termos sido atendidos em tudo o que queríamos no pretérito, quando deveríamos ter aproveitado as ocasiões de fartura e liberdade para sermos atendidos naquilo que fosse o melhor para todos.

Assim, a alma passa hoje por uma série de pequenas ou grandes situações na vida, ofendendo-se e irritando-se com quase todas, desde que contrariem seus interesses individualistas. Um singelo ato de esquecer um documento ou ainda o simples fato de não ser correspondido num pedido a um familiar, ou mesmo não ter sido escolhido para assumir a presidência da tarefa espírita, tudo é motivo para a irritação, o desgaste e a animosidade, podendo chegar às raias da ofensa, da mágoa e do desequilíbrio. O estado íntimo, nesse passo, reproduz a nítida sensação de que tudo e todos estão contra sua pessoa, e fatos corriqueiros podem se tornar grandes problemas, enquanto os grandes problemas podem se tornar tragédias lamentáveis...

Os prejuízos desse hábito não cessam com as contrariedades, porque não se consegue improvisar defesas para um condicionamento tão envelhecido de uma hora para outra. Uma faceta das mais comuns desse estado de suscetibilidade aos fatos da vida pode ser verificada na neurose de controle, que pode ser entendida como a atitude de tentar levar a vida de forma a não permitir nenhuma contrariedade, nenhuma decepção. Essa neurose pode ser considerada uma maneira de se defender do vício de não ser contrariado.

Mas não para por aqui essa sequência de expiações na vida íntima. O esforço em controlar tudo para que as coisas aconteçam *a gosto* tem como principal consequência a preocupação. Preocupação é o resultado de quem quer ter domínio sobre tudo da sua existência. Surge inesperadamente ou por uma razão plausível, mas é, em muitas ocasiões, o resultado oneroso dessa necessidade de tomar conta de tudo para não acontecer o pior, o inesperado.

Classifiquemos com maleabilidade nas conceituações três espécies de drama que vivem os contrariados:

- *Contrariado crônico* – é aquele que não aceitou o próprio ato de reencarnar, já trazendo impresso na aura o clima de sua insatisfação, que vai refletir em todas as suas realizações. Casos como esse tendem a transtornos de natureza mental.

- *Colecionador de problemas* – é aquele que traz, de outras vivências corporais, o vício da satisfação de interesses pessoais e que busca seu ajuste com os atuais quadros de limitação na reencarnação presente, desenvolvendo a preocupação com problemas reais e irreais em razão de tentar um controle sobre-humano nos fatos naturais da existência.

- *O adulto frustrado* – é aquela criança que foi mal orientada, que teve quase todos os seus desejos e escolhas atendidos, criando ausência de limites e baixa resistência à frustração. Foi a criatura impedida pelos pais de se frustrar com os problemas próprios das crianças.

Em qualquer uma das situações citadas, o sentimento de ofensa será parte comum na vida dessas criaturas, podendo suscitar pequenas ocorrências de decepção rotineira ou ainda dramas dolorosos da psicopatia, conforme as tendências e os valores de cada Espírito. A psicopatologia do futuro verá na contrariedade uma grave doença mental e a etiologia de severos transtornos da alma.

O que importa a todos nós é o ingente trabalho de renovação no campo dos nossos interesses. Afeiçoar-se com mais devoção a aceitar as vicissitudes da vida, com resignação e paciência, fazendo o melhor que pudermos a cada dia em busca da recuperação pessoal, otimismo ante os reveses, trabalho perante as perdas, confiança e boa convivência com amigos de ideal, serviço de amor ao próximo, instrução consoladora, fé no futuro e boa dose de humildade são as medicações para ofensas e ofendidos na doença do melindre.

Ofender-nos é impulso natural em vista dos direcionamentos que criamos nas rotas do egoísmo. Contudo, Deus não criou um sistema de punições para seus filhos, e nos concede, a todo instante, o direito de perdoar. E perdoar, acima de tudo, significa aprender a aceitar sua Vontade Sábia e Justa em favor de nossa paz, na construção de dias mais plenos em sintonia com os grandes interesses do Pai.

Capítulo 18

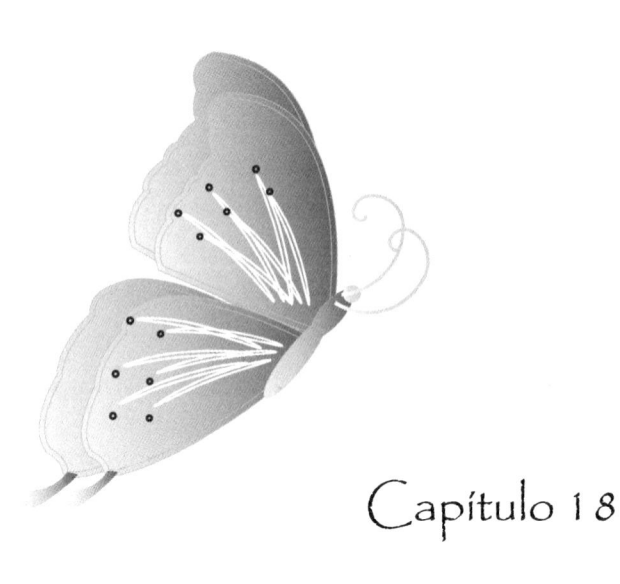

Fé nas vitórias

"Pois em verdade vos digo, se tivésseis a fé do tamanho de um grão de mostarda, diríeis a esta montanha: Transporta-te daí para ali e ela se transportaria, e nada vos seria impossível."

O Evangelho Segundo o Espiritismo
Capítulo 19 - item 1

A pensadora californiana Louise L. Hay define que as crenças são ideias, pensamentos e experiências que se tornam verdade para nós.[29]

As crenças que cultivamos são muito importantes no processo de crescimento espiritual.

Ter a certeza de que vamos alcançar nossas metas íntimas é tão importante quanto alcançá-las.

A reforma íntima, assim como qualquer projeto na vida, exige otimismo e fé para alcançar seus objetivos. Só será concretizada mediante uma relação de confiança conosco mesmos. É a crença de que somos capazes de nos livrar dos males que nos acompanham nas milenares experiências.

Muitos idealistas orientados pelos roteiros de melhoria espiritual, mas tomados de escassa autoestima, sucumbem sob o peso dos monstros da culpa e da vergonha, estabelecendo ideias de inutilidade e desistência pela ampliação dos obstáculos interiores. Supervalorizam suas imperfeições pelo excessivo rigor consigo mesmos, instalando um circuito mental de inaceitação e desgosto, a um passo do desespero e do desânimo com os nobres ideais de transformação e melhoramento, gerando um clima de derrotismo e menos-valia de si mesmos.

De fato, a sensação de frustração acompanhará, por muito tempo, nossos esforços de progresso, em razão das opções

---
29 *Você Pode Curar sua Vida* - Louise L Hay, p. 21, 44ª edição, Editora Best Seller.

que fizemos nos sombrios vales da ilusão e da queda. Fortes condicionamentos se exprimem como traços marcantes da personalidade, contrariando as mais sinceras intenções de aperfeiçoamento. Esse, porém, é o preço justo que temos de pagar pelo plantio do bem em nós mesmos.

Valorizemos aquilo que gostaríamos de ser, contudo, valorizemos também o que já conseguimos deixar de ser, aquilo que não nos convinha. Valorizemos a luz que há em nós; é com ela que resgataremos a condição de criaturas em comunhão com as Sábias Leis do Pai.

Costuma-se observar, na atualidade, uma neurotização da proposta de renovação interior. Muita impaciência e severidade têm acompanhado esse desafio, levando ao perfeccionismo por falta de entendimento do que seja realmente a reforma íntima. Quando digo a mim mesmo: "não posso mais falhar" será mais difícil o domínio interior. Precisamos aprender a ser gente, a ser humano, a exercer o autoperdão, a admitir falhas, ciente de que podemos recomeçar sempre e sempre, quantas vezes forem necessárias, sem que isso signifique, necessariamente, hipocrisia, fraqueza ou conivência com o mal. A proposta espírita é de aperfeiçoamento, e não de perfeição imediata... O objetivo é sermos melhores, e não os melhores.

Essa neurotização da virtude gera um sistema de vida cheio de hábitos e condutas radicais e superficiais que são fronteiriços com o fanatismo. Isso nos desaproxima ainda mais da autêntica mudança, e passamos a nos preocupar mais com o que não devemos fazer, esquecendo de investir esforços e descobrir os caminhos para aquilo que devíamos estar fazendo, aquilo que queremos alcançar e ser.

Por isso a memorização e valorização das pequenas vitórias de cada dia haverão de nos trazer incentivo e discernimento na dilatação da crença na perfeição, à qual todos nos destinamos. Semelhante tarefa exigirá que utilizemos, ilimitadamente, o autoperdão na construção mental da autoaprovação, porque, se não nos aprovamos nas faltas cometidas, caminhamos para o desamor a nós mesmos atraindo o fracasso.

Não devemos fazer de nossos erros a nossa queda. Recomeço sempre.

"Quando realmente amamos, aceitamos e aprovamos a nós mesmos exatamente como somos, tudo na vida funciona", assevera Louise L. Hay.[30]

Fé pequenina, asseverou o Sábio Nazareno, do tamanho de um grãozinho de mostarda; isso bastará para solidificar nossa confiança no projeto de transformação que, inexoravelmente, vamos conquistar sob a égide dos pequenos êxitos de cada etapa.

Em uma guerra perdem-se muitas batalhas, como é natural ocorrer. O que não se pode é desistir de vencê-la; esquivemos, portanto, da vaidade de querer vencer todas as batalhas e assumamos a posição íntima do bom combatente, aquele que sabe respeitar seus limites e jamais desistir de lutar.

Vitória sobre si mesmo, esse é o nosso bom combate, conforme destaca o inolvidável Apóstolo de Tarso.[31]

Nunca esqueça que mais importante que a severidade da disciplina com nossas imperfeições é a alegria que devemos cultivar com nossos pequenos triunfos e nossas tenras qualidades. Alegria é fonte de motivação e bem-estar para todos os dias.

Nos momentos de decepção consigo mesmo busque o trabalho, a oração e prossiga confiante na sua luta pessoal, acreditando nas suas pequenas vitórias. Logo mais perceberá, espontaneamente, o valor que elas possuem para sua felicidade e quanto significam para os que o rodeiam.

---
30 *Você Pode Curar sua Vida* - Louise L Hay, p.26, 44ª edição, Editora Best Seller.
31 II Timóteo, 4:7.

Capítulo 19

Angústia da melhora

"O dever é o resumo prático de todas as especulações morais; é uma bravura da alma que enfrenta as angústias da luta;"

O Evangelho Segundo o Espiritismo
Capítulo 17 - item 7

Angústia é o sofrimento emocional originado por alguma indefinição interna que leva ao conflito, causando intensa aflição. Seus reflexos podem alcançar o corpo físico com dores no peito e alteração respiratória. A intensidade da reação emocional que a criatura terá, diante desse seu conflito, vai determinar a existência ou não de algum prejuízo para o equilíbrio psíquico e mental. Isso ainda dependerá do maior ou menor comprometimento da individualidade com o tribunal da consciência, no qual está arquivado o montante de desvarios e conquistas de suas múltiplas vivências reencarnatórias.

Seguindo quase sempre uma linha predefinida, os conflitos nascem do desajuste entre aquilo que a criatura quer, aquilo que ela deve e aquilo que ela consegue. Um descompasso entre desejo, sentimento e escolha.

O conhecimento espírita pode levar à angústia existencial diante de novos alvitres comportamentais de suas lúcidas propostas. Muitos corações convidados por suas atrativas ideias poderão experimentar, em graus diversos, a angústia da melhora – o sofrimento que reflete a luta entre o eu real e o eu ideal.

Terminantemente, quantos se entregam ao serviço de autoburilamento penetrarão as faixas do conflito. O efeito mais perceptível dessa batalha interior é o sentimento de indignidade. Por ainda não lograrmos a habilidade do autoamor, costumamos ser muito exigentes com nossas propostas de progresso moral, cultivando uma baixa tolerância com as imperfeições e os fracassos. Uma postura de inaceitação e cobranças intermináveis alimenta essa indignidade em direção ao perfeccionismo.

O resultado iminente desse quadro mental é o cansaço, a desmotivação com as atividades espiritualizantes induzindo o desejo de abandonar tudo, uma postura psicológica de impotência que leva a criatura às famosas senhas de derrotismo: "Não vou dar conta!" ou "Não tem valido a pena o esforço!", "Estou cansado de viver!". Todo esse quadro de desastrosa penúria cria a condição mental do desânimo – o mais cruel e sagaz dos adversários de nosso crescimento espiritual.

Querer ser melhor e não conseguir tanto quanto gostaríamos! Eis a mais comum das angústias durante o trajeto de aperfeiçoamento na vida.

O desânimo é o desejo de parar, contudo nosso sentimento é de querer ser alguém melhor e, para agravar, nossas atitudes, em contraste com o desejo e o sentimento, são de fuga. Desejo, sentimento e atitude em desconexão gerando um estado de pane. Os conflitos criam as tensões no mundo íntimo em razão da contraposição entre esses três fatores: o que a criatura gostaria, o que ela deve e aquilo que ela consegue.

Nesse torvelinho da vida mental, um fenômeno é responsável por intensificar a dor emocional dos candidatos ao autoaperfeiçoamento, ou seja, a ilusão. Em muitos casos, sofremos os impactos emocionais do erro ou do desconforto com nossas imperfeições porque nos acreditamos grandiosos demais, portadores de virtudes que ainda não alcançamos, confundindo o conhecimento espírita e a participação nas tarefas com incomparáveis saltos evolutivos. A ilusão, ou desconexão com a própria realidade pessoal, agrava a tormenta da angústia de melhoramento.

Decerto não deveríamos agir como agimos em muitas ocasiões, considerando o volumoso caudal de conhecimentos e vivências espirituais que enobrecem nossos passos, contudo, quase sempre, sofremos culpa e desânimo perante nossas falhas porque nos imaginamos valorosos em demasia para, ainda, permitir que certas condutas manchem os novos caminhos que escolhemos.

Muito justo que nos exortemos a melhores comportamentos diante do aprendizado espiritual que bem recentemente começamos a angariar. Todavia, muita exigência tem sido formulada aos adeptos do Espiritismo, sem nenhuma identidade com as necessidades individuais de sua singularidade. Mormente nascem de padrões construídos por modelos de conduta. Semelhante quadro pode gerar tormenta e obsessão para quem não sabe adequar sua realidade àquilo que aprende, sendo outra fonte costumeira de episódios angustiantes para a alma.

Ninguém sintetizou tão bem essa caminhada da vida interior quanto Paulo, o apóstolo dos gentios, ao mencionar: "Porque não faço o bem que quero, mas o mal que não quero esse faço"[32]. A grande batalha humana pela instauração do bem em si mesmo pode ser sintetizada nessa frase.

A saga da perfeição inclui a dolorosa luta entre aspirações e hábitos, conduzindo-nos a atitudes desconectadas dos ideais que cultivamos no campo das intenções. É o quadro psicológico que nomeamos como sendo angústia da melhora. Todo aquele que assume a lenta e desafiante tarefa da reforma íntima, inevitavelmente, será lançado a essa vivência da alma em variados lances de intensidade. Somente acendendo a luz do autoperdão, recomeçando quantas vezes forem necessárias, na aceitação das atitudes enfermiças e impulsos infelizes, é que edificaremos

---
32 Romanos, 7:19.

estimulante campanha de promoção pessoal no aprimoramento rumo à perfeição.

Reforma também exige tempo e meditação. Por isso não devemos recear a postura de enfrentamento do mundo íntimo. Um acordo de pacificação interior deve existir entre nós e nossa velha personalidade. Em vez de cobrança e tristeza, seria mais sensato um autoexame para verificar o que poderíamos ter feito de melhor nas ocasiões de erro, no intuito de condicionar na mente algumas diretrizes para outras oportunidades, nas quais novamente seremos testados naquelas mesmas deficiências das quais não conseguimos nos desvencilhar. Proceda a uma corajosa reconstituição do mau ato e analise o que poderia ter feito ou deixado de fazer para não chegar aos resultados que o infelicitam. Da mesma forma, instrua-se sempre sobre a natureza de suas mazelas, a fim de melhor ajuizar sobre *sua maneira de atuação*. Se de nada valerem semelhantes apontamentos, então reflita que pior ainda será se você parar e decidir por interromper o doloroso trabalho de melhoria.

Lázaro nos adverte de forma oportuníssima sobre o dever, definindo-o como "...uma bravura da alma que enfrenta as angústias da luta". Conquanto o valor do autoconhecimento, jamais poderemos descuidar do dever que nos chama, porque somente em seu rigoroso cumprimento encontraremos as condições essenciais para consolidar os reflexos novos. Somente com novos hábitos, que serão dinamizadores de novos raciocínios e sentimentos, romperemos a pesada carapaça das enfermidades morais, acolhendo no coração um estado de plenitude que ensejará a superação da angústia e da depressão, do desânimo e do desamor a si mesmo.

Diante disso, somente uma recomendação não deve sair do foco de nossas atenções: trabalhar, trabalhar e trabalhar, sem condições e exigências – eis o buril do dever.

Na medida em que progredimos pelas trilhas do dever e do autoconhecimento, adquirimos paz íntima e domínio mental, antídotos eficazes contra quaisquer adoecimentos da vida psíquica.

Enquanto se processam semelhantes ações de fortalecimento, podemos ainda contar com duas medidas profiláticas de dilatado poder em favor de nossa paz: a vigilância e a oração.

Verifiquemos que a função do vigilante é preventiva, é comunicar à sua volta que algo está sob cuidado e não à mercê das ocorrências. A função do vigilante não é atacar. Quem vigia, o faz para que algo não o surpreenda nem agrida. Vigilância no terreno da reforma íntima significa estar atento ao inimigo, aquele que pode nos causar prejuízos, nosso homem velho.

Vigiar o inimigo, no entanto, é diferente de abater o inimigo. A maneira mais pacífica de vigiar é conquistando-o, e só o conquistamos demonstrando a inviabilidade da guerra, fazendo fortes o suficiente os nossos valores para que ele se sinta impotente, incapaz de ser mais forte.

Vigilância é atenção para com as movimentações inferiores da personalidade, é o estudo sereno das estratégias do homem velho, requer muita disciplina.

Por sua vez, a oração é o movimento sagrado da mente no despertamento de forças superiores. É a busca da alma que se abre para o bem e se fortalece.

Dever, vigilância e oração – balizas seguras que nos permitem talhar o homem novo, mesmo sob a escaldante temperatura das velhas angústias que nos acompanham há milênios.

Capítulo 20

Imprudência no trânsito

"Quantos homens caem por sua própria culpa! Quantos são vítimas de sua imprevidência, de seu orgulho e de sua ambição!"

O Evangelho Segundo o Espiritismo
Capítulo 5 - item 4

Cumpríamos nossos afazeres rotineiros no Hospital Esperança, quando fomos chamados com urgência por dona Modesta no saguão para confinamento de acidentados.

Descemos o mais rápido que pudemos em direção aos pavilhões do subsolo, acompanhados por Rosângela, jovem aprendiz que se tornou infatigável companheira nos serviços de socorro.

Ao chegarmos, adentramos a unidade de tratamentos especializados e vimos Frederico, excelente cooperador das lides mediúnicas em conhecido estado brasileiro, em condições dolorosas.

Dona Modesta nos recebeu com a notícia:

— Fizemos o que foi possível, como você sabe, Ermance, mas veja o resultado...

— E qual o prognóstico, dona Modesta?

— Coma mental! Foi recolhido trinta minutos após o acidente, sem problemas com vampirismo nem com o desligamento dos chacras.

— Ficará no monitoramento ou vai para as câmaras de recomposição?

— Por dois dias, permanecerá aqui, depois vamos reavaliar o quadro. Verifique você mesma o estado.

Aproximamo-nos. Rosângela, sempre atenta, acompanhava cada detalhe. Frederico estava com o corpo em estado de languidez, musculatura flácida e muitos ferimentos expostos na região craniana. Um leve toque na sua fronte foi o suficiente para aferir a problemática mental. Intenso barulho de vidros estilhaçados e ferro sendo retorcido, seguido de uma infeliz sensação de descontrole e impotência. O corpo perispiritual assemelhava-se a uma massa amolecida que lembrava um corpo após o desfalecimento, mas com muito maior soma de flacidez. Não seria exagero dizer que parecia estar se desmanchando. A cor arroxeada dos pés à cabeça dava a ideia cadavérica e assombrosa. Rosângela se apiedava da situação de nosso amigo e teve um leve mal-estar devido à cessão espontânea de energias. Saímos um pouco do ambiente, juntamente com dona Modesta, enquanto trabalhadores especializados tomavam outras providências.

Dona Modesta, sempre atenciosa, indagou:

— Está melhor, Rosângela?

— Sim, foi uma doação imprevista. Estou tranquila.

Percebendo que Rosângela se recuperava, dirigiu-se a mim com as informações:

— Como você bem conhece a história, a despeito das inúmeras qualidades que faziam dele um homem íntegro, Frederico agia como uma criança ao volante. Sempre imprudente no trânsito, acreditava em demasia na segurança do automóvel e preferiu ignorar os cuidados que deveria tomar. Negou-se a se reeducar nas lições do trânsito e colhe agora o fruto amargo de sua opção. Foi alertado muitas vezes fora do corpo, durante as noites de sono, em vão. Providenciamos amizades que o chamaram à responsabilidade, sem sucesso.

Por fim, ele vai ser a lição em si mesmo, embora com o elevadíssimo preço da vida física.

Atenta e sempre educadamente curiosa, Rosângela questionou:

— Poderíamos aventar a hipótese de inimigos espirituais no caso, já que era médium?

— De forma alguma, minha jovem.

— Haveria algum componente cármico em aberto para resgate em forma de morte trágica?

— Também não, Rosângela.

— Algum descuido por parte dele, que não seja na arte de conduzir o veículo?

— Absolutamente, ele era extraordinariamente precavido quanto à manutenção do carro, com o objetivo de usufruir tudo o que a máquina podia oferecer. Não ingeria alcoólicos, era possuidor de reconhecida habilidade visual e motora.

— Então é um caso de imprudência?

— Pura imprudência, minha filha. Ultrapassou em muito a velocidade permitida em plena via urbana. Retorna com trinta e sete anos de antecedência, deixando família e uma reencarnação promissora com sua mediunidade e vida espírita consciente. Todo o amparo possível e desejável em nome da misericórdia foi-lhe oferecido. O mundo físico, nesse instante, vai cogitar de carmas e obsessões, resgate e liberação, todavia, o que Frederico mais vai precisar é de tempo, autoperdão, paciência e muitas dolorosas intervenções cirúrgicas.

— Quanta dor desnecessária! – asseverou a jovem com grande lamento.

— Não existe dor desnecessária, Rosângela, existem provas dispensáveis, ou seja, tribulações que poderíamos evitar. A dor será tão grande e valorosa que levará Frederico à virtude da prudência em toda a eternidade. O que é de se lamentar é que poderia aprender isso a preço módico nos investimentos da vida. Não podemos confundir acaso com programação divina.

— Elucide meus raciocínios, dona Modesta, qual é a diferença?

A benfeitora, no entanto, como de costume, querendo esquivar-se da postura professoral, falou:

— Querida Ermance, responda você mesma a essa oportuna interrogação que deveria ser refletida e mencionada entre os espíritas reencarnados.

— Sim, dona Modesta, com prazer. Como sabemos, o acaso seria uma aberração nas Leis do Universo, portanto, não existe. É parte de uma concepção da ignorância em que ainda estagiamos. Dessa forma, todo acontecimento tem suas razões explicáveis. A programação reencarnatória, entretanto, é um plano com objetivos divinos em favor de quem regressa à sagrada experiência corporal na escola terrena. Semelhante projeto sofre as mais intensas e flexíveis alterações durante a jornada. Veja o caso de Frederico, que alterou em mais de três décadas o seu retorno. Nem sempre o que acontece está na programação da vida física; nem por isso existe acaso, ou seja, mesmo o imprevisto tem finalidades sublimes na ordem universal, embora pudesse ser evitado. Nada existe por acaso, quer dizer, para tudo há uma causa, uma explicação. Isso não significa que tudo tenha de acontecer como acontece. Até os fatos do mal não existem sem causalidade, nem por isso podemos concebê-los como uma obra do Pai, e sim reflexo oriundo de nossas decisões infelizes.

— Em sua ficha não constava o regresso na categoria de morte trágica?

— Não, ele se enquadrava na morte natural por idade, gozando de plena saúde.

— Suponhamos, então, que constasse um resgate por meio de tragédia, qual seria sua situação?

Dona Modesta interveio com naturalidade, esclarecendo:

— Se assim fosse, minha jovem, ainda seria um suicida, porque estaria, nesse caso, antecipando o tempo de sua liberação. Inclusive a categoria de desencarne pode sofrer modificações, conforme o proveito pessoal na reencarnação. Temos casos, aqui mesmo no Hospital, de criaturas que ressarciriam velhos crimes de guerra com desenlaces lentos, sofrendo longamente na ponta dos bisturis e tesouras cirúrgicas e que, no entanto, levaram um leve escorregão no banheiro e acordaram na vida extrafísica felizes e saudáveis... Há, também, mudanças para melhor...

A conversa avançou, enquanto aguardávamos algumas providências de refazimento a Frederico. Passados alguns minutos, fomos orientados por dona Modesta:

— Chamei-a, Ermance, a fim de que possa integrar a equipe de amparo à família de Frederico. A esposa está inconsolável. Como você sabe, ela não tem a fé espírita e está confusa.

— Sim, vou inteirar-me das iniciativas e logo rumaremos para a residência para prestar os auxílios possíveis.

Quando regressávamos para os pavilhões superiores do Hospital, acompanhados por Rosângela, ela retomou sua sede de aprender:

— Ermance, mesmo não tendo sido intencional, a morte de Frederico será considerada um suicídio?

— Certamente. Não há ninguém que vá considerar a morte de alguém um suicídio, mas o Espírito, ao retomar a posse da vida imortal, submete-se aos regimes naturais que vigoram no Universo. Por se tratar de uma criatura tão consciente quanto o médium Frederico, a cobrança consciencial é maior. Ele próprio se imporá severos castigos.

— Então, mesmo não havendo intenções propositais do ato criminoso, ele guarda um nível de culpabilidade pelo esclarecimento que possuía?

— Certamente. Todo esclarecimento nos torna mais responsáveis. Quando Frederico retomar a lucidez completamente, iniciará uma etapa muito dolorosa de reconstrução mental. Alguns casos similares levam a estágios prolongados, anos a fio, na para-esquizofrenia[33], um quadro muito similar à doença psiquiátrica da classificação humana agravado pelas ideoplastias. Para isso temos aquele saguão no qual ficam confinados os hebetados em transes psíquicos que a Terra ainda desconhece. Seus quadros vão muito além dos transtornos psicóticos. O fato de não ter a intenção do trespasse e de se comportar à luz do Evangelho o livrou de outros tantos tormentos voluntários que ainda poderiam agravar em muito o seu drama, em peregrinações pelas regiões inferiores na crosta terrena. Para se obter melhores noções sobre o tema, sugiro a você, minha jovem, que reflita e estude o tema Lei de Liberdade, na Parte Terceira de *O Livro dos Espíritos*, acrescido da oportuna questão 954, que diz:

---
33 Nota da editora: esta expressão é usada no plano espiritual para indicar outras variantes na classificação das doenças psiquiátricas.

"Será condenável uma imprudência que compromete a vida sem necessidade?"

"Não há culpabilidade, em não havendo intenção, ou consciência perfeita da prática do mal."

Amigos espíritas,

Por trás da imprudência escondem-se, quase sempre, os verdugos da ansiedade, da malquerença, da vaidade de aparências, da avareza e de múltiplas carências que o homem procura preencher correndo riscos e desafios em nome do entretenimento e da vitória transitória.

A postura ética do homem de bem perante as leis civis deve ser a da integridade moral.

A direção de um veículo motorizado é uma arte, e como tal deve ser conduzida: a arte de respeitar a vida.

Os códigos existem para ser cumpridos.

Habitue-se à disciplina nesse mister e procure agir com discernimento e vigilância perante as obrigatoriedades que lhe são pedidas.

Se outros não as seguem, responderão por si mesmos, e não por você.

Você, porém, deve agir no trânsito memorizando sempre que por trás de cada volante existe uma alma em provação carregando perigosa arma nas mãos, nem sempre sob controle.

Procure ser o pacificador e renove seu proceder, por mais desacertos nas avenidas do mundo...

Dirija com o coração, e não com o cérebro, e jamais esqueça que todos nós responderemos pela utilização que fizermos dos bens que nos foram confiados.

Aprenda a respeitar as leis humanas, considerando esse um passo favorável para a sua melhoria espiritual.

Faça de sua condução uma ocasião de autoconhecimento e procure averiguar o que sustenta a atitude de insensatez em acreditar que jamais ocorrerá com você os lamentáveis episódios que já ceifaram milhões de corpos, nos testes da prudência e da responsabilidade. Habilidade pessoal adquirida com o tempo é crédito que lhe solicita mais cautela, enquanto os iludidos nela enxergam competência com permissão para o exagero.

Quanto à segurança das máquinas, analisemo-la como medida de prevenção e segurança, não como quesito para o abuso.

Recorde que, até mesmo como pedestre, há convenções que lhe cabem para a cooperação nos espaços comunitários.

Nossa tarefa, enquanto desencarnados, é proteger e orientar sempre conforme os limites das convenções, ultrapassando-as somente quando o amor não se torna conivência.

Nesse sentido, estejam certos os amigos encarnados que, de nossa parte, respeitamos o que estipula a lei terrena; assim, apuramos sempre se o ponteiro não ultrapassa em muito a velocidade permitida como uma medida aferidora de equilíbrio para a harmonia geral, critério seletivo para dispensar amparo e auxílio em casos de reincidência...

Capítulo 21

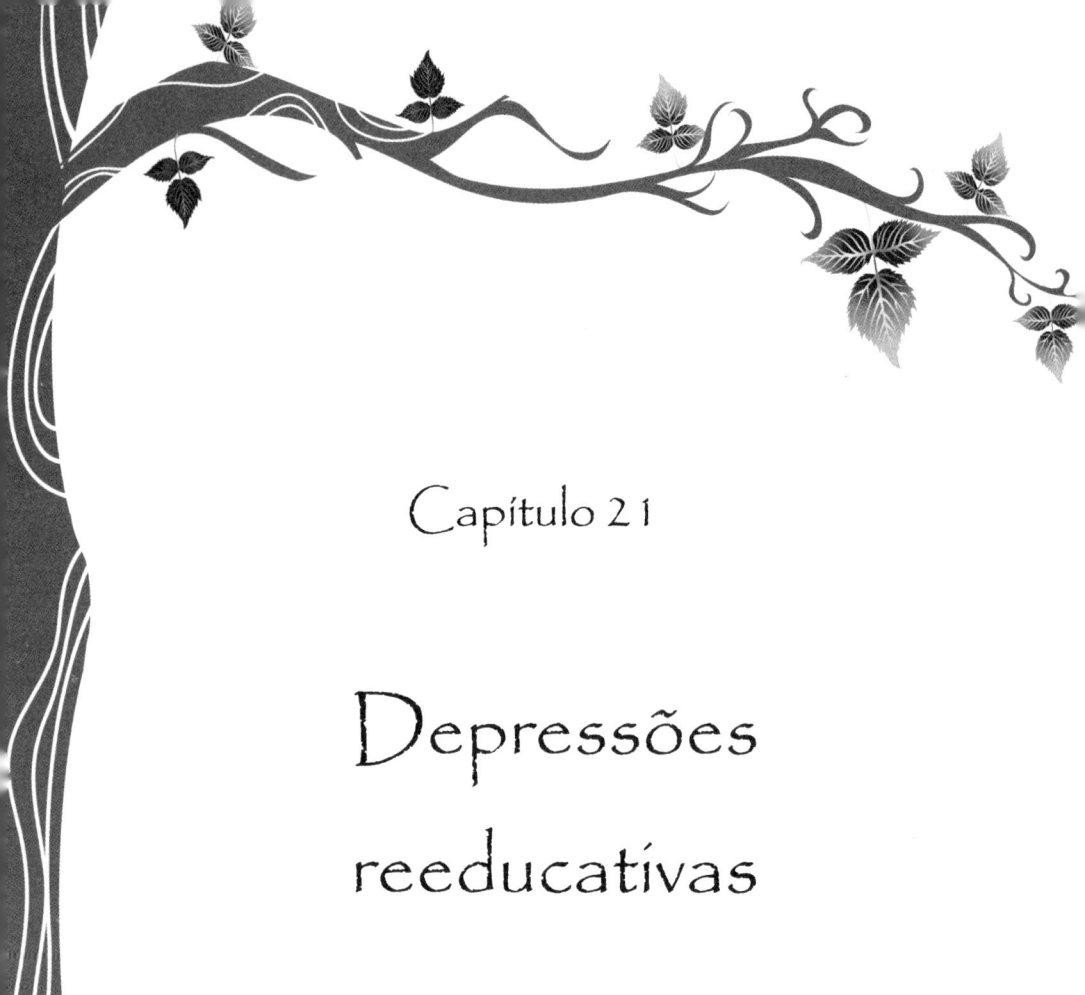

Depressões reeducativas

"Sabeis por que, às vezes, uma vaga tristeza se apodera dos vossos corações e vos leva a considerar amarga a vida?"

O Evangelho Segundo o Espiritismo
Capítulo 5 - item 25

Dores existenciais, quem não as experimenta?

A pergunta do espírito François de Genève foi elaborada num tempo em que os avanços das ciências psíquicas não tinham alcançado as profícuas conquistas da atualidade. Com o título *A Melancolia* e utilizando o saber espírita, esse colaborador da Equipe Verdade deu a primeira palavra sobre a grave questão dos transtornos de humor e sua relação com a vida espiritual.

À luz da ciência, depressão primária é o quadro cuja doença não depende de fatores causais para surgir, sendo, em si mesma, causa e efeito. Depressão secundária é aquela que decorre de um fator causal que pode ser, por exemplo, uma doença grave que resulta em levar o paciente a ficar deprimido.

Boa parcela dos episódios de depressão primária crônica, aqueles que se prolongam e agravam no tempo, mas que permanecem nos limites da neurose, ou seja, que não alcançam o nível de perda da realidade, são casos que merecem uma análise sob o enfoque espiritual graças à sua íntima vinculação com o crescimento interior.

À luz da imortalidade, as referidas depressões são como uma tristeza do espírito que amplia a consciência de si mesmo. Um processo que se inicia, na maioria dos casos, antes do retorno à vida corporal, quando a alma, em estado de maior liberdade dos sentidos, percebe com clareza a natureza de suas imperfeições, suas faltas e suas necessidades, que configuram um marcante sentimento de falência e desvio das Leis Naturais. A partir dessa visão ampliada, são estabelecidos registros profundos de inferioridade e desvalor pessoal em razão da insipiência na arte do perdão, especialmente do autoperdão. Nessa hora, quando a criatura dispõe de créditos mínimos para suportar esse espelho da consciência, seu processo corretivo inicia-se na própria vida extrafísica, em tratamentos muitos similares aos dos hospitais terrestres, até que haja um apaziguamento mental que lhe permita o retorno ao corpo. O mesmo não ocorre com quantos experimentam a dura realidade de se verem como são após a morte, mas que tombam nas garras impiedosas das trevas a que fizeram jus, regressando à vida corporal em condições expiatórias sob domínio de severas psicoses para colher os frutos das sementes que lançou.

Nessa ótica, depressão é um doloroso estado de desilusão que acomete o ser em busca da sua recuperação perante a própria consciência na vida física.

Essa análise amplia o conceito de reforma íntima por nos levar a concluir que soa para alma o instante divino para a reparação, conclamando-a, após esbanjar a Herança do Pai, assim como o Filho Pródigo da parábola evangélica, ao recomeço progressivo no Colo Paternal, onde encontrará descanso e segurança – valores perdidos há milênios nos terrenos de sua vida afetiva.

Semelhantes depressões, portanto, são o resultado mais torturante da longa trajetória no egoísmo, porque o núcleo desse transtorno se chama desapontamento ou contrariedade, isto é, a incapacidade de viver e conviver com a frustração de não poder ser como se quer e ter de aceitar a vida como ela é, e não como se gostaria que fosse. Considerando o egoísmo como o hábito de ter nossos caprichos pessoais atendidos, a contrariedade é o preço que pagamos pelo esbanjamento do interesse individualista em milênios afora, mas, igualmente, é o sentimento que nos fará refletir na necessidade de mudança em busca de uma postura ajustada com as Leis Naturais da vida.

Para a maioria de nós, contrariedade significa que algo ou algum acontecimento não saiu como esperávamos, por isso algumas criaturas costumam dizer: "Nada na minha vida deu certo!". É tudo uma questão de interpretação. Quase sempre essa expressão "não deu certo" quer dizer que não saiu conforme nosso egoísmo. O desapontamento, portanto, é altamente educativo quando a alma, a optar pela tristeza e revolta, prefere enxergar um futuro diverso daquele que planejou, e no qual a grande meta da felicidade pode e deve estar incluída.

O renascimento corporal é programado para que a criatura encontre nas ocorrências da existência os ingredientes necessários à sua transformação. Brota, então, espontaneamente, o desajuste em forma de insatisfação crônica com a vida, funcionando como canal de expulsão de culpas armazenadas no tempo, controladas com a força de mecanismos mentais defensivos ainda desconhecidos da ciência humana e eclodindo sem possibilidade de contenção. Um expurgo psíquico em doses suportáveis...

Os sintomas, a partir de então, são muito conhecidos da medicina humana: insônia, tristeza persistente, ideias de autoextermínio, vazio existencial e outros tantos. Poderíamos asseverar que almas comprometidas com esse quadro psicológico já renascem com um ego frágil, suscetível a uma baixa tolerância com suas falhas e estilo de vida, uma dolorosa incapacidade de se aceitar, menos ainda de se amar. No fundo, permanece o desejo impotente de querer a vida conforme seus planos, mas tudo conspira para que tenha a vida que precisa, em vista de suas necessidades de aperfeiçoamento.

A rebeldia, no entanto, que é a forma de reagir perante os convites renovadores, pode agravar ainda mais a prova íntima. Nesse caso, o homem afunda em dores emocionais acerbas que o martirizam no clímax da dor-resgate. Medo, revolta, suscetibilidade, impotência diante dos desafios são algumas das expressões afetivas que podem alcançar a condição doentia, quando sustentadas pela teimosia em não aceitar as propostas das circunstâncias que lhe contrariam os sonhos e as fantasias de realização e gozo. Forma-se, então, um quadro de insatisfação crônica com a vida.

Como já dissemos, esse é, sem dúvida, o mais infeliz efeito do nosso egoísmo, que age contra nós mesmos ao decidirmos abandonar a suposta supremacia e grandeza que pensávamos possuir em nossas ilusões milenares de orgulho que se desfazem ao sopro renovador da Verdade.

Eis as mais conhecidas faces provacionais da vida mental e emocional do espírito que experimenta a dor das depressões primárias crônicas, cujo processo detona sua melhoria espiritual, que já vem sendo relegada ao longo dos tempos:

- Aflição antecipada com perdas – neurose de apego.
- Medo da frustração – neurose de perfeccionismo.
- Extrema resistência com a autoaceitação – neurose de vergonha.
- Desgaste energético pelo esforço para manter controle – neurose de domínio.
- Formas sutis de autopunição – neurose de culpa.
- Nítida sensação de que o esforço de melhora é infrutífero – neurose de ansiedade.

- Acentuada suscetibilidade nos fatos corriqueiros – neurose de autopiedade.
- Surgimento imprevisto e sem razão de preocupações inúteis – neurose de martírio.

A depressão, assim analisada, é uma forma de focar o mundo que decorre de fatores intrínsecos, endógenos, desenvolvidos em milênios de egoísmo e orgulho. Chamamo-la, em nosso plano, de silenciosa expiação reparadora.

Acostumados a impor nossos desejos e a imprimir a marca do individualismo, somos agora chamados pela dor reeducativa a novos posicionamentos, que nos custam, quase sempre, a cirurgia dos quistos de pretensão e onipotência, ao preço de silenciosa expiação no reino da vida mental. Somos contrariados pela vida para que eduquemos nossas potencialidades.

Infelizmente, com raras exceções, nossos gostos são canteiros de ilusões onde semeamos os interesses pessoais em franca indiferença às necessidades do próximo, colhendo frutos amargos que nos devolvem à realidade.

Há de se ter muita humildade para aceitar a vida como ela é, compreender suas "reclamações" endereçadas à nossa consciência e tomar uma postura reeducativa. O orgulho é o manto escuro que tecemos com o fio do egoísmo, com o qual procuramos nos proteger da inferioridade que resistimos aceitar em nós mesmos de longa data.

Bom será quando tivermos a coragem de nos mirar no espelho da honestidade e aprender a conduta excelsa do perdão, porque quem perdoa conquista sua alforria das celas da mágoa e da culpa. Conquanto a princípio o sentimento de culpa possa fazer parte da reconstrução de nossos caminhos, temos a assinalar que sua presença ainda é sinal de orgulho por expressar nossa inconformação com o que somos, ou nossa rebeldia em aceitar nossa falibilidade. Se o orgulho é um manto com o qual ingenuamente acreditamos estar protegidos dos alvitres vindos de fora concitando-nos à autenticidade, a culpa é a lâmina cortante vinda de dentro que nos retira o controle e exige um novo proceder.

Apesar do quadro expiatório, as depressões reeducativas, quando vencidas, trazem como prêmio um extraordinário domínio de si mesmo, sem que isso signifique querer viver a vida a seu gosto, e também um largo autoconhecimento. Passada a prova, ficará o aprendizado.

Essa depressão reeducativa afiniza-se, sobremaneira, com a visão de François de Genève, porque a maior aspiração da alma é se libertar das ilusões da vida material e gozar das companhias eleitas. Assim expressa o autor: "Se, no curso desse degredo-provação, exonerando-vos dos vossos encargos, sobre vós desabarem os cuidados, as inquietações e tribulações, sede fortes e corajosos para os suportar. Afrontai-os resolutos. Duram pouco e vos conduzirão à companhia dos amigos por quem chorais e que, jubilosos por ver-vos de novo entre eles, vos estenderão os braços, a fim de guiar-vos a uma região inacessível às aflições da Terra".

Capítulo 22

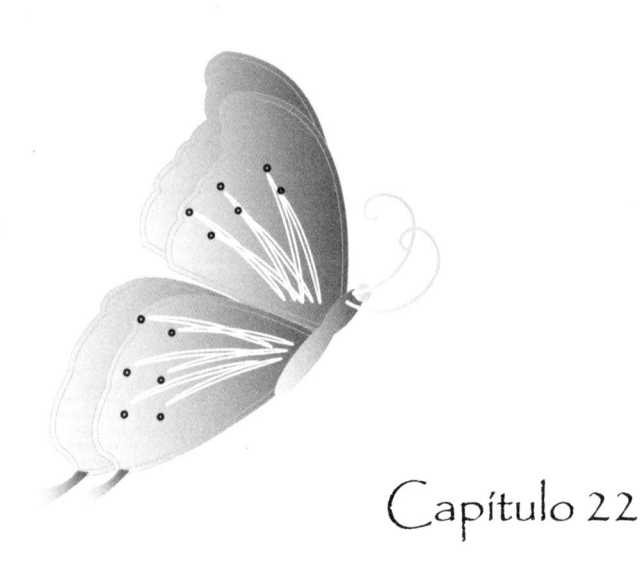

A velha ilusão das aparências

"Não basta que dos lábios manem leite e mel. Se o coração de modo algum lhes está associado, só há hipocrisia. Aquele cuja afabilidade e doçura não são fingidas nunca se desmente: é o mesmo, tanto em sociedade, como na intimidade. Esse, ao demais, sabe que se, pelas aparências, se consegue enganar os homens, a Deus ninguém engana."

O Evangelho Segundo o Espiritismo
Capítulo 9 - item 6

Os adeptos sinceros do Espiritismo, mais que nunca, carecem de abordar com franqueza o velho problema da hipocrisia humana. Nesse particular, seria muito proveitoso que as agremiações doutrinárias promovessem debates grupais acerca dos caminhos e desafios que enfrentamos todos nós, os que decidimos por uma melhoria moral no reino do coração.

O chamado vício de santificação continua escravizando o mundo psicológico do homem a noções primárias e inconsistentes sobre como desenvolver o sagrado patrimônio das virtudes que se encontra adormecido na vida superconsciente do ser.

Hipocrisia é o hábito humano de aparentar ser o que não é em razão da necessidade de aprovação do grupo social com o qual convivemos. Intencional ou não, é um fenômeno profundo nas raízes emocionais e psíquicas, que envolve particularidades específicas de cada criatura, mas que pode ser conceituado como a atitude de simular, antes de tudo para si mesmo, uma imagem ideal daquilo que gostaríamos de ser. Difícil definir os limites entre o desejo sincero de aperfeiçoar-se em direção a esse eu ideal e o comportamento artificial que nos leva a acreditar no fato de estarmos nos transformando, considerando a esteira de reflexos que criamos nas fileiras da mentira.

Aliás, para muitos corações sinceros, que efetivamente desejam o aprimoramento e mudança, detectar uma atitude falsa e uma ação que corresponda aos novos ideais costuma desenvolver um estado psicológico de insatisfação consigo mesmo, que pode ativar a culpa e a cobrança impiedosa. Instala-se, assim, um cruel sistema mental de inaceitação de si mesmo que ruma para a mais habitual das camuflagens da hipocrisia: a negação, a fuga.

Não podemos asseverar que todo processo de defesa psíquica que vise negar a autêntica realidade humana seja algo patológico e nocivo. Muitas almas não teriam a mínima saúde mental não fossem semelhantes recursos que, em muitas ocasiões, funcionam como um escudo protetor que vai levando a criatura, pouco a pouco, ao conhecimento doloroso da verdadeira intimidade, até ter melhores e mais seguros recursos de libertação e equilíbrio. No entanto, quando nesse processo existe a participação intencional de ações que visem impressionar os outros com qualidades ainda não conquistadas, principalmente para auferir vantagens pessoais, então se estabelece a hipocrisia, uma ação deliberada de demonstrar atitudes que não correspondem à natureza dos sentimentos que constituem a rotina de sua vida afetiva.

As vivências sociais humanas, com suas exigências materialistas, conduziram o homem à aprendizagem da hipocrisia. A substituição de sentimentos foi um fenômeno adquirido. O hábito de camuflar o que se sente tornou-se uma necessidade perante os grupos, e certas concepções foram desenvolvidas nesse contexto que estimulam a falsidade. Convencionou-se, por exemplo, que homens não devam chorar, criando a imagem da insensibilidade masculina, em torno da qual bilhões de almas trafegam em papéis hipócritas e doentios. Certas profissões, como a de educador, durante séculos aprisionadas nas sombras do mito, levaram à criação de um abismo entre educador e educando, quando ambos eram obrigados a disfarçar emoções para respeitarem seus limites, impostos pela perversa institucionalização dos super-heróis da cultura. Naturalmente, todos esses convencionalismos vêm sofrendo drásticas reformulações para o progresso das comunidades em direção a um período mais feliz e pleno de autenticidade nas atividades humanas.

Acompanhando essas renovações de mentalidade na cultura, é imperioso que os líderes e condutores espíritas tenham a coragem de sair de seus papéis, perante a coletividade doutrinária, e erguer a bandeira do diálogo franco e construtivo acerca das reais necessidades que todos carregamos, rompendo com um ciclo de faz de conta. Ciclo esse que somos, infelizmente, obrigados a afirmar, tem feito parte da vida de muitos adeptos do Espiritismo e até mesmo de grupos inteiros. Sem nenhuma reprimenda, vejamos esse quadro como sendo inevitável em se tratando de almas como nós, mal saídas do primarismo evolutivo. Nada mais fizemos que caminhar para nossa hominização, ou seja, largar a selvageria instintiva e galgar os degraus da humanização – o núcleo central do aprendizado na fase hominal, na qual estamos apenas penetrando.

Adquirir a consciência de que a evolução não se faz aos saltos, e sim etapa a etapa, é um valoroso passo na libertação desse vício de santificação, essa necessidade neurótica que incutimos ao longo de eras sem fim, especialmente nas leiras religiosas, com o qual queremos passar por aquilo que ainda não somos. Disso resulta o conflito, a dor, a cobrança, o perfeccionismo e todo um complexo de atitudes de autodesamor.

Sejamos nós mesmos e não nos sintamos menores por isso. Aparentar santificação para o mundo não nos exonera da equânime realidade dos princípios universais. Ninguém escapa das leis criadas pelo Criador. A elas todos estamos submetidos. Que nos adiantará demonstrar santificação para os outros, se a vida dos espíritos é um espelho da Verdade que mostrará a cada um de nós, particularmente, como somos?

Se acreditamos, portanto, na imortalidade e sabemos da existência dessas leis-espelho, deveríamos concluir que quanto antes, para os que se encontram encarnados, tratarmos nossa realidade sem medos e culpas, maior será o bem que faremos a nós mesmos.

Recordemos, nesse ínterim, que a caridade para com o próximo, conquanto seja extenso tributo de ajuste aos Estatutos Divinos, não é passaporte de garantia para a movimentação nas experiências da autoridade e do equilíbrio nos planos imortais. Aprendamos, o quanto antes, a cultivar essa sensação de salvação, experimentada nos serviços de doação, também em nossos momentos de autoencontro. Essa conquista realmente nos pertence e ninguém pode tirá-la de nós em tempo algum.

Viver distante da hipocrisia não significa, necessariamente, expor a vida íntima e as lutas que carregamos a qualquer pessoa, mas expô-las, antes de tudo, a nós mesmos, assumindo o que sentimos, os desejos que nutrimos, os sonhos que ainda trazemos, os sentimentos que nos incendeiam de paixões, os pensamentos que nos consomem as horas, esforçando-nos por analisar nossas más condutas. Por outro ângulo, esse mesmo processo de detecção consciente precisa ser realizado com nossos valores, as decisões infelizes que deixamos de tomar, o sacrifício de construir uma atividade espiritual, os novos costumes que estamos talhando na personalidade, os sentimentos sublimes que começam a ensaiar projetos de luz na nossa mente, as escolhas que temos feito no bem comum.

Reforma íntima, como a própria expressão comunica, quer dizer a mudança que fazemos por dentro. E jamais, em caso algum, ela se dará repentinamente, num salto. A santificação é um processo lento e gradativo. Cuidemos com atenção das velhas ilusões que nos fazem acreditar na angelitude por osmose, ou seja, que a simples presença ou participação nos ofícios doutrinários é garantia de aperfeiçoamento.

Temos recebido, na vida espiritual, inúmeros companheiros de ideal cuja revolta consigo mesmos os leva a tormentos patológicos de graves proporções, quando percebem o equívoco de acreditar que tão somente sua adesão às atividades de amor lhes renderia o reino dos céus. A ilusão é tão intensa que requer tratamentos especializados e longos em nosso plano. E vejam, meus amigos encarnados, o que a mente é capaz, pois muitos desses corações poderiam se beneficiar intensamente das realizações a que se entregaram, podendo mesmo alguns obter um desencarne tranquilo. Todavia, sem exceção, estão esperando mais do que merecem; é quando surge a inconformação diante das expectativas de honrarias e glórias injustificáveis na espiritualidade. Esbravejam, então, ao perceberem que são tratados com muito carinho e amor, a fim de assumirem sua verdadeira realidade de doentes com baixo aproveitamento na reencarnação, colhendo espinhoso resultado de seu autoengano.

Espíritas amigos e irmãos, lembrai-vos de que todos estamos na Terra, planeta de testes infindáveis ao nosso aperfeiçoamento. Mesmo os que se encontram fora do corpo ajustam-se a essa conotação evolutiva. E nessa conjuntura o caminho da santificação se amolda à realidade do homem que nela habita. Se, por agora, estivermos pelo menos nos esforçando para sair do mal que fazemos a nós e ao próximo, dirigimo-nos para essa proposta sagrada. Todavia, se ansiamos por concretizar em mais larga escala as luzes de nossa santificação, lancemo-nos com louvor a outra etapa do processo e aprendamos como criar todo o bem que pudermos em torno de nossos passos, soltando-nos definitivamente de todos os grilhões do terrível sentimento do fingimento, o qual ainda nos faz sentir que somos aquilo que supomos ser.

Capítulo 23

Só o bem repara o mal

"Indeterminada é a duração do castigo, para qualquer falta; fica subordinada ao arrependimento do culpado e ao seu retorno à senda do bem;"

O Evangelho Segundo o Espiritismo
Capítulo 27 - item 21

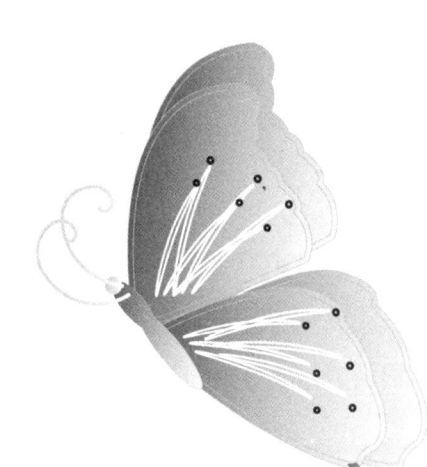

O desejo do progresso é princípio ativo em todas as almas, induzindo a vontade para a ascensão nos domínios da evolução. Embora faça parte do processo natural de aperfeiçoamento individual em todo ser humano, esse desejo toma conotações bem específicas conforme a natureza das provas vividas na erraticidade. Quanto mais dor e decepção no intervalo entre as reencarnações, mais profundos anseios de mudança integrarão as aspirações desse coração em plena Terra, determinando alguns traços psicológicos. Esse desejo é mais intenso naqueles que já regressaram arrependidos ao corpo físico.

Na verdade, todos retornamos ao carreiro físico com certo nível de arrependimento que intensifica esse anseio de melhora e reparação. Assim sendo, volve-se ao corpo carnal com o olvido temporário dessas recordações, mas com expressiva soma de ideais de renovação, sustentados por esse piso psicológico do remorso dinâmico, na intimidade da vida mental. Isso determina os motivos pelos quais para uns a reforma íntima é tão essencial em relação aos vários objetivos da existência, todavia, igualmente, explica a causa de tantos sentimentos que levam o homem ao sofrimento, quando ainda estagia no remorso sem o buril da vontade ativa de reparar suas faltas.

A maioria de nós, que somos atraídos para a necessidade imperiosa de renovação perante a vida nas linhas do bem, quando no retorno à escola terrena, carreamos na intimidade uma pulsante aspiração de nos transformarmos, em razão das angústias experimentadas pelas duras revelações descerradas pela desencarnação.

O traço psicológico característico desse quadro é um forte sentimento de cobrança de si mesmo. Isso exerce uma pressão psíquica, facilmente percebida por vários incômodos durante todas as etapas da existência carnal, desde a infância até a velhice, somente atenuável pelo exercício do amor, que modifica as paisagens da dor por meio da edificação dos benefícios do bem aplicado e sentido.

Nesse torvelinho do sistema psíquico de cobranças provocado pelo estado de arrependimento surgem dores emocionais profundas – sintomas de almas em crescimento. Depressão e baixa autoestima, insegurança e ansiedade muito frequentemente são angústias do aperfeiçoamento. São alguns dos castigos a que se refere o Mestre Rivail, quando diz: "Indeterminada é a duração do castigo, para qualquer falta;" a marca mais saliente de suas manifestações pode ir desde uma suportável perturbação no halo energético da criatura, pela purgação moderada, ou mesmo de descargas eletromagnéticas de intenso teor deletério, das distonias comuns da neurose, até o câncer, a esquizofrenia, a artrite reumatoide, as ulcerações fulminantes, a aids, ao desequilíbrio glandular e neuroquímico-cerebral, causando parafrenias, paranoias e atrofia na saúde mental.

Outro castigo psicológico muito frequente é a inquietude interior, expressada em forma de contínua preocupação nascida do nada, sem utilidade racional ou explicável – reflexos típicos de reajustamento do espírito que se despe, pouco a pouco, do monturo de suas faltas.

É preciso que se esclareça que não temos uma caixinha de sentimentos guardados do passado. Sentimento é algo vivido no presente. Não existe sentimento de culpa arquivado, existe morbo psíquico acumulado como resultado das feridas conscienciais que se irradiam para o corpo, transformando-o em um dreno.

Todo esse processo de desajuste pode fixar, de forma mais acentuada no psiquismo ou no cosmo biológico, os reflexos de sua ação, criando, em muitos casos, o encontro de ambas as perturbações, quando não há reações favoráveis à recuperação da paz interior.

A cobrança é o estado de incômodo permanente criado pela presença quase contínua desse morbo psíquico no halo de energias sutis da mente, impedindo o fluxo natural das correntes da saúde, da harmonia e do amor a si mesmo. É como se fossem doses controladas ou um expurgo dirigido.

Conquanto dolorosa, essa é a forma pela qual a alma resgata o vínculo entre sentimento e consciência, rompido pela artimanha aprendida de negar sentimentos para não escutar os alvitres da voz interior. Nunca enganamos a consciência, porque ela é o tribunal infalível da Verdade em nós. No entanto, desenvolvemos, ao longo de milênios, a capacidade de negar os sentimentos que ela nos envia como sendo suas mensagens dirigidas ao bem. O coração é o espelho da consciência. Pelo que sentimos, identificamos os apelos da consciência em favor do nosso progresso. Recusando reincidentemente, em séculos de rebeldia, seus alvitres pela via do sentir, estabelecemos o que nomeamos como cristalização do afeto, um desajuste nos campos da vida mental que causa inúmeros transtornos psiquiátricos.

Arrepender-se é criar um elo entre o que sentimos e a voz de Deus na intimidade. E somente um sentimento será capaz de consolidar esse resgate: o amor. Sem amor não existirá transformação para melhor. O autoamor é a base da mudança pessoal. Somente nos amando venceremos a severidade com nossas imperfeições, escapando das garras da culpa e do perfeccionismo. Somente nos amando permitiremos a alegria com as pequenas vitórias de cada dia, acostumando-nos a valorizar nossos esforços na aquisição do otimismo e da motivação para prosseguir. Somente nos amando encontraremos estímulos para caminhar um tanto mais.

Arrependimento é via de redenção e, ao mesmo tempo, castigo para almas em reeducação. Os arrependidos, conquanto a caminho da recuperação de si mesmos, experimentam larga dificuldade na autoaceitação, cobram severamente de si mesmos em razão do sistema autopunitivo implantado pelo morbo de culpa agregado ao seu campo áurico e perispiritual, em mutações vibratórias similares a descargas de alta voltagem. Uma insatisfação incessante, eis a faceta mais traduzível desse processo curativo do Espírito. Esse *quantum* energético enfermiço é um dos fatores causais da desarmonia dos neurotransmissores da química cerebral, como a serotonina e a noradrenalina.

Mesmo em desacordo com as definições da filosofia e da psicologia humanas, tratamos aqui do arrependimento como sendo a nossa maior conquista, uma virtude, e não somente um estado mental passageiro que decorre de atitudes equivocadas. É uma questão de decisão profunda para quem atingiu a saturação nas más escolhas que fez, repetidamente, em desacerto com as Leis Divinas. É uma virtude porque se trata de uma vitória substancial para que a alma, arraigada nos tormentos da ilusão, possa se libertar dos resultados infelizes de suas atitudes milenares.

Por essa razão, costumamos assinalar que para nós, criaturas em linha inicial de consciência e maturidade, especialmente para nós que abraçamos a causa espírita, nossa única qualidade é a de almas que nos arrependemos do mal e desejamos ardentemente o bem.

Que qualidade desenvolvemos senão a de cansarmos do mal deliberado? Que condição seria capaz de endossar o retorno à vida corporal, senão o desesperado anseio de recomeçar e refazer ações? Por que, então, o encanto ou delírio com traços sublimes que ainda não galgamos?

Acordemos para a Verdade espiritual que nos cerca e promovamos nosso distanciamento das ilusões de grandeza, as quais têm assalariado os conceitos sociais humanos que não asseguram sossego e luz ao coração cansado e sofrido por erros atrozes.

Sem medo, vergonha ou culpa, verifiquemos os quistos morais que fomos chamados a extirpar, e não nos sintamos diminuídos nem desvalorizados em razão dessa inadiável viagem ao encontro do eu superior.

Conforme elucida Kardec: "Desde que o culpado clame por misericórdia, Deus o ouve e lhe concede a esperança. Mas não basta o simples pesar do mal causado; é necessária a reparação, pelo que o culpado se vê submetido a novas provas em que pode, sempre por sua livre vontade, praticar o bem, reparando o mal que haja feito".

Aqui chegamos ao ponto clímax de nossa reflexão. Somente se arrepender não basta, é preciso realizar. Somente estagiar no desejo de melhora não é suficiente para o equilíbrio, é mister agir na construção do bem. A reforma efetiva de nós mesmos depende de trabalho e obras.

Evitar o mal é a parcela inicial de um processo renovador. Fazer o bem é a etapa que vem a seguir, pela construção do bem em nós mesmos. Só o bem construído em ações pode ser sentido pelo coração, e somente sob a tutela das suas ondas renovadoras a alma, em ambos os planos existenciais, poderá talhar valores com mais intensidade no imo de si mesma. Vemos, assim, o valor incomparável das atividades doutrinárias de amor nos serviços sociais e nas práticas de espiritualização da doutrina espírita. No campo fértil dos estímulos de elevação, seja pelo estudo ou pela caridade sentida, o homem se ilumina e arregimenta forças sutis que o impulsionarão a mudanças profundas no reino da vida interior, as quais nem ele mesmo, a princípio, terá como aquilatar.

"A perda de um dedo mínimo, quando se esteja prestando um serviço, apaga mais faltas do que o suplício da carne suportado durante anos, com objetivo exclusivamente pessoal."[34]

"Só por meio do bem se repara o mal e a reparação nenhum mérito apresenta, se não atinge o homem nem no seu orgulho, nem nos seus interesses materiais."[35]

O arrependimento é nossa maior conquista, porque por meio dele já estamos procurando a reparação pelo labor no bem e pela reeducação dos costumes. Somente dessa forma somos capazes

---
34 *O Livro dos Espíritos* – Questão 1.000.
35 *O Livro dos Espíritos* – Questão 1.000.

de vencer um dia após o outro, sem desanimarmos da oportuna semeadura de amor que começamos a plantar, independentemente das tormentas interiores provocadas pelo bisturi das dores emocionais que venhamos a experimentar.

Só o bem repara o mal. Só o bem nos dará energias essenciais para continuar.

Concluímos, portanto, que lutar e tentar, errar e recomeçar faz parte da longa caminhada regenerativa, e somente uma atitude pode fazer com que o arrependimento se transforme em loucura ou perturbação, fracasso ou queda: a desistência de tentar, pois assim transformaremos o arrependimento impulsionador em remorso estagnante e tortura mental a caminho do desajuste...

Trabalhemos incessantemente pelo bem.

E se algum de nós ainda nutre dúvida sobre o que seja o bem, guardemos a eloquente e universal fala do Espírito Verdade:

"Jesus disse: vede o que queríeis que vos fizessem ou não vos fizessem. Tudo se resume nisso. Não vos enganareis."[36]

---

36 *O Livro dos Espíritos* – Questão 632.

Capítulo 24

Ícones

"Entretanto, abandonando de todo a idolatria, os judeus desprezaram a lei moral para se aferrarem ao mais fácil: a prática do culto exterior."

O Evangelho Segundo o Espiritismo
Capítulo 18 - item 2

A palavra *integral* significa por inteiro, total. Quando mencionamos o homem integral, estamos nos referindo ao ser em sua completude, a integração de todas as suas partes num todo.

O homem integral harmoniza os seus opostos e resgata sua identidade original, já que ao longo da caminhada evolutiva estruturou uma imagem irreal do Eu Divino no espelho da vida mental que nomeamos como falso eu, com a qual temos caminhado há milênios no trajeto da evolução.

A vida é dialética, tem aparentes contradições porque consiste de opostos, que são, em verdade, complementares. Basta observar: noite e dia, vida e morte, verão e inverno, razão e intuição, bem e mal, claro e escuro, masculino e feminino. Sem os opostos não existe a vida.

Aprendemos, no entanto, a estabelecer divisões, uma visão cartesiana de partir o indivisível, estabelecendo, assim, a luta contra o que se convencionou considerar como sendo mau, não aceitável, feio e inutilizável. Nasce, então, o conflito, a perturbação, a cobrança.

Olhar as duas faces da moeda é uma grande sabedoria de vida. É uma atitude saudável a ser cultivada com cuidado no processo de transformação, que é a grande razão de nossa peregrinação pela Terra.

Luz e sombra são opostos. No entanto, uma depende da outra, assim como o passo da perna direita depende do passo da perna esquerda. Luz e sombra, perfeição e imperfeição são faces de uma mesma estrutura da alma, razão pela qual será impróprio adotar o conceito de eliminação para os assuntos da vida interior. Nunca eliminamos uma parte, mas a integramos.

Contudo, esse processo de integração gera um doloroso sentimento de perda, necessário ao progresso. Perde-se o velho para construir o novo. Na verdade, efetuamos uma reconstrução marcada por etapas desafiantes. Perde-se a velha identidade e não se sabe como construir o que se deve ser agora, a nova identidade.

O conhecimento espírita é uma mola propulsora de semelhante operação da vida mental. Ao adquirir a noção da imortalidade, a alma sensibiliza-se para novas escaladas. Decide pela transformação, mas observa de pronto que mudar não é tarefa simples, que se concretiza de uma hora para outra. Assim, enquanto a criatura não constrói o homem novo e singular, único e incomparável que todos deveremos erguer na intimidade, ocorre um natural processo de imitação que o leva a fazer cópias de conduta do que lhe parece ser ideal. São os estereótipos espíritas – referências que adotamos, espontaneamente, para avaliar o proceder perante a nova visão de vida.

Por um tempo esse será o caminho natural da maioria dos candidatos à renovação de si mesmos. Carecem de referências externas que funcionam como boias indicadoras para sua elaboração interior dos conhecimentos novos. Um livro, um palestrante, um devotado seareiro da caridade ou mesmo um amigo espiritual poderão se tornar bússolas para o progresso pessoal, o que é muito natural.

Contudo, semelhante identificação natural pode adoecer em razão de vários fatores dolorosos para a alma em reforma íntima, ensejando que essa relação educativa com os referenciais caminhe para matizes diversos. Um dos mais comuns desvios nesse tema é a idolatria.

Idolatria é o excessivo entusiasmo e admiração por uma pessoa com a qual partilhamos ou não a convivência. São oradores, médiuns e trabalhadores que costumam se destacar pelas virtudes ou experiências, e que são tomados à conta de ícones, com os quais delineamos a noção pessoal de limite máximo ou modelo para os novos passos assumidos na caminhada espiritual.

Os ícones na história grega são as divindades que representam valores excelsos e santificados.

Sem considerar os naturais sentimentos de admiração e entusiasmo dirigidos a quem fez por merecê-los, quase sempre nas causas dessa idolatria encontra-se o mecanismo defensivo da mente, pelo qual é projetado no outro aquilo que gostaríamos de ser.

Dois graves problemas, entre os muitos, decorrem dessa relação idólatra: as exageradas expectativas e a prisão aos padrões.

As expectativas transferidas ao ícone carreiam desejos e anseios que se tornam âncoras de segurança para os problemas individuais. Caso a criatura se habitue ao conforto de escorar-se psicologicamente no outro e fugir do seu esforço autoeducativo, passará ao terreno das ilusões, sentindo-se e acreditando-se tão virtuosa ou capaz quanto ele. Ocorre, então, uma absorção da identidade alheia. É como ser alguém com os valores do outro.

Quanto aos padrões, vamos verificar outra questão que tem trazido muitos desajustes: o hábito do dogmatismo, uma velha tendência humana de ouvir a palavra dos homens santificados pela hierarquia religiosa. Pessoas que se tornam carismáticas por sua natural forma de ser ou pelo valoroso desempenho doutrinário são, comumente, colocadas como astros ou missionários de grande envergadura, fazendo de seu proceder e de suas palavras, ideias conclusivas e definitivas sobre as mais diversas vivências da espiritualidade ou sobre quaisquer problemáticas humanas, como se possuíssem a visão integral de tais questões.

Quaisquer dessas vivências, expectativas elevadas ou criação de modelos podem nos trazer muita decepção e revolta. Somos todos aprendizes, uns com mais, outros com menos experiência. Todos, no entanto, sem exceção, como aprendizes do progresso e gestores do bem. Podemos sempre aprender algo com alguém, desde que tenhamos visão e predisposição à alteridade. O que hoje entendemos como sendo excepcional em alguém, amanhã poderá não ser tão útil para nossa percepção mutável e ascensional.

Por mais bem-sucedida a reencarnação na melhoria espiritual, isso será apenas o primeiro passo de uma longa jornada. Então por que glórias fictícias com ídolos com pés de barro? Missionários e virtuosos? São muito raros na Terra. Para conhecê-los é muito fácil, nenhum deles aceita uma relação de idolatria, enquanto se verifica outro gênero de conduta com muitos que se julgam ou são julgados como tais.

Muitas vezes os "ídolos espíritas" que miramos não suportariam ter feridas as cordas dos interesses pessoais. Bastaria alguém cumprir o dever – ainda poucas vezes exercido – de questioná-los com fraternidade para se rebelarem. Acostumou-se tanto a essa convenção em nossos ambientes de cristianismo redivivo, que já não se indaga ou filosofa, apenas se crê. Especialmente se determinadas fontes consagradas, sejam homens, instituições ou mesmo desencarnados, expedem ideias ou teorias, não se pesquisa, não se analisa com a prudência que manda o bom-senso, apenas se crê. Não existem debates e, o que é mais lamentável, muitos corações incensados pela reverência excessiva não fazem nada para dela afastar os menos vividos, os quais terminam, em muitos casos, como pupilos mimados e protegidos que fazem escola...

Apesar da constatação desses malefícios, tudo isso faz parte da sequência histórica de nossas vidas. Quando refletimos sobre a questão, é no intuito de chamar a atenção de todos nós para os prejuízos de continuarmos cultivando semelhantes expressões de infantilidade emocional. Existe, de fato, uma velha tendência que nos acompanha, a qual podemos declinar como hábito da canonização psíquica.

Muitos ídolos adoram as bajulações e burburinhos em torno de seu nome. São folgas que não deveríamos buscar para nossa vida!

Os ídolos deveriam se educar e educar os outros para assumirem a condição de condutores, aqueles que lideram promovendo, libertando, e não fazendo coleção de admiradores para alimentar seu personalismo.

Como bons espíritas, apenas começamos os serviços de transformar a autoimagem de orgulho, profundamente cristalizada nos recessos da mente. Quando nos adornamos com qualidades e virtudes que imaginamos possuir, perdemos a oportunidade de ser nós mesmos, de eleger a autenticidade como nossa conduta, de construir o quanto antes a nova identidade que almejamos.

Inspiremo-nos em nossas referências, todavia, não façamos deles ídolos. Ouçamo-los, tiremos o proveito de suas conquistas, respeitemo-nos e façamos tudo isso com equilíbrio, nem mais, nem menos.

Retifiquemos nossos conceitos sobre lideranças no melhor proveito das oportunidades das sementeiras espíritas.

Líderes autênticos são dinamizadores incansáveis da criatividade e dos valores alheios. São estimuladores das singularidades humanas.

Por isso suas qualidades são empatia, confiança, capacidade de descobrir pendores.

Líderes que se integram na dinâmica de agentes da obra do Pai assumem a postura de serem livres, sem apego às suas vitórias ou realizações.

Sua alegria reside em ser útil e ver as obras sob sua tutela crescer em satisfação coletiva.

Dirigir, à luz das claridades espíritas, é valorizar o distinto, o diferente, e não apenas os semelhantes, atendendo sempre ao bem geral. Isso se chama conduta de alteridade.

Expoentes sempre surgirão. O que importa é o que faremos deles ou com eles. Evitemos, também, a substituição que tem se tornado frequente: não os deixemos para aferrarmos às práticas. A isso se referia Kardec quando disse: "Entretanto, abandonando de todo a idolatria, os judeus desprezaram a lei moral, para se aferrarem ao mais fácil: a prática do culto exterior."

Capítulo 25

Fé e singularidade

"A fé necessita de uma base, base que é a inteligência perfeita daquilo em que se deve crer. E, para crer, não basta ver; é preciso, sobretudo, compreender."

O Evangelho Segundo o Espiritismo
Capítulo 19 - item 7

Quando deixamos de reciclar nosso mundo íntimo, é comum fixarmo-nos em ideias e comportamentos que criam estilos invariáveis no modo de ser. É assim que muitas crenças, preconceitos, hábitos, condutas, chavões verbais e tradições são mantidos estagnados no tempo pela criatura em razão de sua forma de entendimento racional, decorrente de experiências que viveram ou da educação que receberam desde o berço. A esse conjunto de valores damos o nome de certezas emocionais, ou seja, referências de vida da alma no campo de sua movimentação, por meio das quais o ser cria, trabalha e respira absorvendo e expressando sua personalidade.

Considerando o estágio evolutivo da Terra, essas certezas do homem se encontram entorpecidas pelo materialismo em milênios de repetição, constituindo o fenômeno psicológico da permanência – a ilusão de querer manter para sempre em suas mãos aquilo que foi alvo de suas conquistas. Dessa forma, o individualismo sulcou traços morais e intelectuais marcantes que educaram o homem para o meu, em detrimento do nosso: meu filho, minha palestra, minha casa, minha família e até minha religião...

Esse fenômeno, do qual raríssimas vezes escapamos, conduziu muitos de nós, espíritas que declaramos possuir uma fé racional distante do dogmatismo, a uma postura de paralisia do raciocínio em muitas questões, as quais apelam para nossa urgente coragem de desapego e reconstrução pela oxigenação de nossas ideias e conceitos.

A esse respeito, entre as infinitas reciclagens a fazer, vejamos uma velha e costumeira forma de análise sobre a qual nos debruçamos, quase todos nós, nos temas da vida moral do espírita em torno da mensagem de Jesus. Já perceberam, meus companheiros, com que frequência empregamos as frases "É falta de Evangelho no coração!", "Falam do Evangelho, mas fazem exatamente o contrário!", "Sem Evangelho não teremos a solução!", "Chegaram em má situação à vida espiritual porque não viveram o Evangelho!", "Falam de Evangelho mas não o aplicam!", "A ausência do Evangelho sentido levou aquele grupo à derrota!"

Não são poucas as vezes que, para explicar os motivos de fracasso ou de erro, assinala-se que a causa se encontra na falta de viver os ensinos do Evangelho. Absolutamente não ousaríamos contestar tal questão, contudo, uma oportuna e desafiadora indagação precisa ser lançada a título de repensar caminhos e abrir ângulos de enriquecimento no tema. Poderíamos, por exemplo, indagar para debate e atualização de nossos pensamentos o seguinte: por qual motivo as criaturas não vivem o Evangelho? De pronto surge uma resposta-chavão: "Porque é muito difícil seguir os ensinos do Mestre!"; entretanto, para sermos sinceros conosco, essa resposta não explica nada palpavelmente. Então teríamos de nos aprofundar e questionar: "E por que é tão difícil seguir os ensinos da Boa Nova?"

Aqui deparamos com um dos pontos de convergência mais comuns nos atendimentos que realizamos no Hospital Esperança, chamado Exercício de Impermanência – uma atividade de readaptação com espíritos recém-desencarnados que se fixaram em formas convencionais de pensar, e que cultivaram a ilusão de terem alcançado pleno domínio sobre os assuntos da vida espiritual, sendo convocados a reexaminar amplamente suas convicções e aspirações para além da morte física. Por sugestão do benfeitor Bezerra de Menezes, vamos compartilhar algo sobre semelhante iniciativa com os amigos encarnados, a fim de verificarem com antecedência uma particularidade das reciclagens a que somos convidados no país da verdade.

O Exercício de Impermanência é constituído de ciclos de debates entre coidealistas que já conseguiram se recuperar de momentos mais dolorosos, ou ainda com aqueles que, mesmo guardando relativo sossego interior adquirido na recém-finda reencarnação, carecem de reaver esse dinamismo mental de soltura nos conceitos e visões, para se integrarem com o divino mecanismo universal da transcendência e da mutação. A esse fenômeno da vida mental chamamos de desilusão ou o rompimento com as certezas-amarras, colecionadas durante a passagem pela hipnose do corpo. Esse exercício tem etapas variadas, e entre elas o acesso do participante a informes muito preciosos e previamente selecionados por nossa equipe sobre suas precedentes existências, quando se cristalizaram no campo mental algumas matrizes emocionais que funcionam como piso para muitas das atuais ilusões-certezas que carregam para a vida extrafísica.

Umas das primeiras e mais motivadoras perguntas nessa tarefa, destinada especialmente aos seguidores de Jesus, é exatamente essa a que nos referimos acima: por que não se vive o Evangelho? O que impede o homem de aplicar os ensinos de Jesus? Por que tem havido tanto discurso e pouca prática nos últimos dois mil anos da Terra?

É importante assinalar aos queridos amigos de ideal no corpo físico, muitos dos quais se encontram angustiados com sua infidelidade aos textos e roteiros do espiritismo-cristão, que ninguém, em sã consciência, deixa de aplicar intencionalmente o que aprendeu e, se o faz, ainda assim há questões muito profundas na intimidade do ser que merecem uma análise madura e caridosa, antes de nomear essa atitude de hipocrisia ou má-fé. Resguardar-se nesse enfoque habitual, que destaca a origem de todos os nossos problemas e dores devido à falta da vivência evangélica, tem levado muitos corações ao simplismo, incentivando o esclarecimento superficial com cunho religiosista. Temos fundamentos bastante sensatos no Espiritismo para estabelecer pontes com todos os ramos da ciência e da filosofia, na dilatação de nosso olhar sobre essa indagação que poderão ampliar horizontes na construção da fé racional.

A edificação do homem novo reclama, sobretudo, lucidez intelectual sobre as causas de nossas atitudes. Para isso, somente abandonando visões fixas e ampliando perspectivas de compreensão.

Muitos corações inspirados pelas claridades do Espiritismo chegam por aqui como alunos que *colaram*, ou seja, viveram a expensas do que pensavam outros coidealistas ou seguiram os ditados mediúnicos com rigor na letra. Em face disso, deixaram de experimentar a mais notável vivência da alma enquanto encarnados: a solidificação da fé raciocinante.

Dizemos fé raciocinante porque, ao se colocar que possuímos uma fé raciocinada, inferimos que as noções de doutrina, por si sós, são suficientes para gestá-la automaticamente. Todavia, mesmo com tanta luz nos raciocínios haurida com a literatura e os recursos de ensino usados nos centros espíritas, o desenvolvimento da fé pensante não ocorre por osmose, e sim por etapas pertinentes à singularidade de cada criatura. Não existe fé raciocinada coletiva, conquanto nosso movimento libertador, em razão de engessamento filosófico e tendências psicológicas dogmáticas, tenha se aferrado demasiadamente a padrões e convenções que estrangulam a criatividade e a liberdade de pensar.

Fé raciocinada é um fenômeno psicológico e emocional construído com base no desejo autêntico e perseverante de compreender o que nos cerca – conquista somente possível por meio da renovação do entendimento e da forma de sentir a vida. É conquista individual, construção íntima e pessoal, e não pode ser considerada adesão automática a princípios religiosos ou ideias que nos parecem aceitáveis e convincentes. E quanto mais maleabilidade intelectiva, mais chances de alcançarmos a fé que compreende e liberta.

Fomos educados para obedecer sem pensar, aceitar sem questionar. A cultura humana não é rica na arte de estimular a pensar e filosofar, debater e reinventar. A fé racional somente será lograda quando aprendermos a pensar a moral, a pensar sobre si mesmo, a debater sobre as vivências interiores com espírito de liberdade, distante da censura e das recriminações, com coragem para se distanciar de estereótipos. A chamada conscientização é uma conquista intransferível, individual, somente possível quando permitimos a nós mesmos analisar nossa singularidade com amor e ternura, sem punições e culpas. Não existe melhora íntima concreta sem trilharmos essa vivência emocional.

A educação na Terra passa por grandes transformações. Penetramos a era da curiosidade, queremos entender a vida. Queremos saber quem somos...

A maior conquista da etapa hominal é a capacidade de raciocinar, no entanto, se essa habilidade não for utilizada para a aquisição gradativa da consciência de si mesmo, estagnaremos no patamar de colecionares de certezas que nos foram transmitidas, esbanjando muita informação e carentes de transformação. A boa nova espírita tem de saltar da ilha da inteligência e integrar o reino do coração. É necessário abolir as fantasias do que deveríamos ser e nos aplicar a sentir o que somos de fato, laborar com nosso eu real.

Nossa tarefa primordial, portanto, é recriar o conhecimento espírita adequando-o à nossa singularidade, sem com isso querer criar novos padrões coletivos. Respeitar os ensinos gerais, mas desvendar os nossos mistérios interiores, únicos no Universo, eis o desafio da renovação espiritual.

É tão penoso viver o Evangelho porque, em verdade, é penoso o contato com nosso eu real, para o qual toda a mensagem de Jesus é dirigida. E para evitar esse contato, a mente capacitou-se a gerir as ilusões em milênios de experimentações, sendo muitas delas um mecanismo de fuga e proteção para nos isentar do contato doloroso com a Verdade sobre nós mesmos.

Existe um simplismo prejudicial quando nos acostumamos a afirmativas de periferia. Lancemo-nos a essa intrigante questão sobre quais são os motivos pessoais de não vivermos o Evangelho e emergirá para a consciência todo um manancial de reflexões, com as quais haveremos de trabalhar em favor de nossa maturidade.

A bula universal da palavra cristã para cada qual terá dosagem e componentes específicos, conforme o estágio espiritual em que se encontre, não sendo oportuno copiar receitas. A singularidade é fundamento determinante da forma e da intensidade com que nos apropriaremos individualmente da vivência cristã. Nessa perspectiva incluem-se as razões pelas quais nem sempre fazemos aquilo que pregamos.

Não se vive o Evangelho, entre outras infinitas questões, porque não se tem trabalhado ainda nos grupamentos humanos, inclusive os espíritas, um método que permita esse autoencontro em bases educativas para a alma em aprendizado. O autoconhecimento solicita orientação segura e objetivos nobres para não se desvirtuar em autoflagelação e dor, normas severas e reprimendas – mecanismos típicos do religiosismo que se destina à massificação, com total descrédito a exuberância dos valores individuais que deveriam florir em nossos caminhos.

Capítulo 26

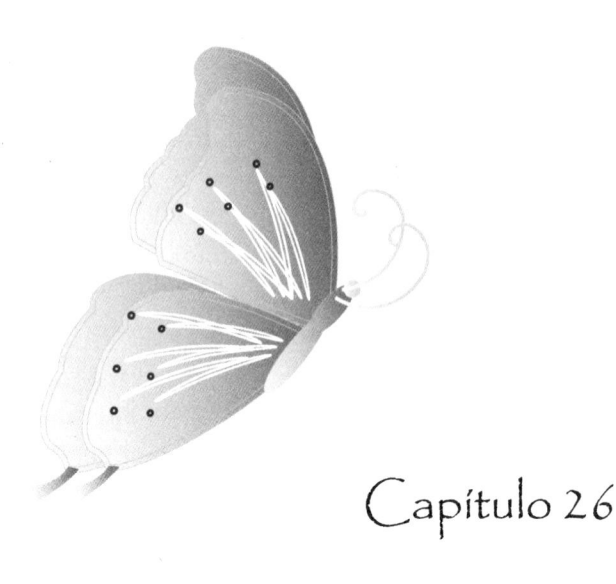

Disciplina dos desejos

"Quantos se arruínam por falta de ordem, de perseverança, pelo mau proceder, ou por não terem sabido limitar seus desejos!"

O Evangelho Segundo o Espiritismo
Capítulo 5 - item 4

Quando desejamos o bem, sentimos o amor, a compaixão e a fraternidade pelo outro.

Quando desejamos o mal, sentimos o ódio, a raiva e a indiferença pelo outro.

Quando desejamos estagnar, sentimos a preguiça, o pessimismo e a descrença.

Quando desejamos o progresso, sentimos o idealismo, o otimismo e a fé.

Entre nós é muito conhecido o enunciado "Desejando, sentes. Sentindo, mentalizas. Mentalizando, ages"[37], que estabelece uma realidade quase geral sobre a rotina da mente.

Desejo, fenômeno da vida mental inconsciente, conquista evolutiva de valor na formação da consciência. Podemos classificá-lo como uma inteligência instintiva, ampliando o horizonte das pesquisas modernas sobre a multiplicidade das inteligências.

Temos o desejo de viver, desejo dos sentidos, desejo de amar, desejo de pensar, desejo de raciocinar, desejo de gratificação, todos consolidados no que vamos nomear como *inteligência primária automatizada*, guardando vínculos estreitos com as memórias estratificadas do psiquismo na evolução hominal. É dessa inteligência que é determinado o impulso do sentir

---
37 *Pensamento e Vida*, Francisco C. Xavier, pelo Espírito Emmanuel, FEB.

conforme o desejo central, desejo esse que mais não é senão o reflexo indutor da rotina mental na vida do homem.

Intensificando ainda mais essas forças impulsivas do desejo central, encontramos os estímulos sociais da atualidade delineando novos hábitos e atitudes, no fortalecimento de velhas bagagens morais da alma por meio do instinto de posse, degenerando em apego lamentável no rumo das apropriações desrespeitosas entre os homens.

Na convivência, a intromissão desse hábito de posse estabelece o ciúme, a inveja, a dependência e a dor em complexas relações. Façamos uma análise mais atenta.

O afeto, como expressão do sentimento humano, carreia, em muitos lances da experiência relacional, um conglomerado de desejos. Entre eles se encontram aqueles que nos mantêm na retaguarda espiritual, carecendo de educação a fim de não fazer da vida interpessoal um colapso de energias, em circuitos delicados de conflitos e atitudes desajustadas do bem, provenientes de ligações malsucedidas e possessivas.

Devemos trabalhar para que todos nossos consórcios de afeto, sejam com quem for, progridam sempre para a desvinculação, abstraindo-se de elos de idolatria e intimidade ou desprezo e mágoa – posturas extremas no terreno dos sentimentos que conduzem aos excessos.

O afeto que temos é somente aquele que damos, porque o experimentamos nas nascentes do coração, irradiando de nós. E porque é nosso podemos dar, gratificando-nos mais cedê-lo ao outro do que criar vínculos doentios por exigi-lo de outrem, em aprisionamentos velados ou declarados. Em verdade, esse possuir afetivo é a nossa busca de completude, entretanto, a verdadeira complementaridade gera autonomia, liberdade e crescimento, enquanto a possessividade gera escravidão, desrespeito e desequilíbrio.

A afeição deve ser administrada na medida exata. Nem frieza, nem excessos. Isso solicita a disciplina sobre os desejos, que são, em boa parte, forças de propulsão nas fibras sensíveis da afetividade.

Quando se trata do tema transformação íntima na vitória sobre nós mesmos, estamos nos referindo, sobretudo, a esses impulsos-matrizes de sentimento que são originados nas pulsões dos desejos. Graças aos desejos centrais que costumeiramente se assenhoreiam da nossa rotina mental, constata-se uma separação entre pensar, sentir e fazer. Exemplo comum disso é o ideal de espiritualização que esposamos. Temos consciência da urgência de nos unirmos, amarmos, somar esforços, crescer e melhorar, porém, nem sempre é assim que sentimos em relação àquilo que já conhecemos. Fortes interferências no sentir causam solavancos e acidentes nos percursos da mudança interior. Falamos, pensamos e até agimos no bem em muitas ocasiões, mas nem sempre sentimos o bem que advogamos, estabelecendo hiatos de afeto no comprometimento com a causa, atraindo desmotivação, dúvida, preguiça, perturbação e ausência de identificação com as responsabilidades assumidas. Tudo isso coadjuvado por interferências de adversários espirituais, nos quadros da obsessão em variados níveis.

É assim que nossos sentimentos sofrem a carga psicoafetiva milenar dos desejos exclusivistas e inferiores que ainda caracterizam a rotina induzida nos campos da mentalização.

E como instaurar matrizes novas no psiquismo de profundidade em favor da renovação de nossos sentimentos? Como renovar esse coração milenar pulsando independentemente da vontade?

Eis um empreendimento desafiante e progressivo. A solução está na aplicação de intenso regime disciplinar dos desejos, deixando de fazer o que gostaríamos e não devemos, e fazendo o que não gostaríamos, mas que é o dever.

Em outras palavras, saber desejar afinando impulsos com os alvitres conscienciais.

A disciplina dos desejos tem duas operações mentais principais, que são a contenção e a repetição, para que essa disciplina alcance o patamar de fator de educação emocional.

Na contenção é utilizado todo o potencial da vontade ativa e esclarecida, com a finalidade de assumir o controle sobre as fontes energéticas de teores primários e suscetíveis de causar danos aos novéis propósitos que acalentamos.

Já a repetição é a força que coopera na dinamização dos exercícios formadores de hábitos novos, com os quais desenvolvemos os valores divinos depositados na intimidade do ser desde a criação.

Contenção e repetição são movimentos mentais neutros, que adquirirão natureza e qualidade na dependência das cargas afetivas com as quais serão impregnadas, e nisso encontra-se a verdadeira transformação interior.

A contenção com revolta torna-se repressão e neurose.

A repetição com descrença torna-se desmotivação e rotina vazia.

A contenção com compreensão é vigilância e domínio.

A repetição com idealismo é hábito novo e crescimento.

A contenção amplia a vontade no controle sobre si mesmo.

A repetição plenifica, pela vivência, o desenvolvimento de habilidades e competências sobre as potências do ser.

Ambas, contenção e repetição, consolidam a disciplina como instrumento educacional dos desejos.

Como vemos, é sobremaneira decisiva a influência do desejar na caminhada evolutiva de todos nós.

Muitos corações encontram-se guindados a estreitas formas de expressão afetiva em razão de suas compulsões, adquiridas na satisfação egocêntrica dos desejos ao longo de eras e mais eras, limitados por não se encontrarem aptos a conduzir os sentimentos com elevação moral, quase sempre atrelados à erotização e à irresponsabilidade nas emoções.

Outras vezes, os fatores complicadores surgem na infância, com os desejos não gratificados gerando carências de variada ordem na estrutura psicoemocional da criança. A necessidade infantil de afeto e atenção é um desejo natural e Divino para impulsionar o crescimento, contudo, quando não é convenientemente compensada, cria efeitos lamentáveis no seu desenvolvimento.

Vemos, assim, que significado tem os grupos solidificados nos valores evangélicos, notáveis por sua força moralizante, seja no lar ou na vida social, instigando novos desejos na nossa caminhada de aperfeiçoamento individual.

Grupos amigos, sinceros, autênticos e fraternos são buris disciplinadores das tendências menos felizes, arrimo psíquico para a superação das más emoções, estímulo ao elasticamento de novos hábitos e cooperação ante as lutas de contenção para quantos respiram ainda sob o regime doloroso desses limites provacionais nas leiras do sentimento, sobrecarregados de reflexos milenares a vencer.

Em ambientes assim, a contenção é menos penosa e a repetição tem o reforço contagiante dos propósitos maiores nutridos coletivamente.

E quanto aos grupamentos espíritas, que papel é reservado a eles perante tal realidade?

Precisamos muito de condições especiais para que tais dinâmicas da vida mental sejam dirigidas para aquisições consistentes e de bons resultados. As tarefas de amor e instrução das quais fazemos parte são ricos contributos nesse sentido. Enquanto estamos no trabalho espiritual, absorvemos do grupo de tarefeiros o somatório energético dos desejos elevados, o qual nos inspira nas diligências de amor conjugado às sublimes pulsões que vertem de tutores de além-túmulo, sensibilizando as formas da psicoafetividade em direção a uma transcendência. Razão pela qual o amor ao próximo é reeducativo e tão modificador de nossos padrões de sentimento em relação à vida.

A propósito, alguns companheiros de lide sentem-se invadidos por um estado de hipocrisia, quando em outros locais fora das tarefas de paz, por não conseguirem efetivar a manutenção de tais experiências envolventes da alma a altos graus de sensibilidade pelos outros. Isso ocorre, exatamente, porque as realizações espirituais são cercadas de condições especiais, quais fossem benfazejas enfermarias do espírito, na ministração de doses e tratamentos apropriados às imperiosas necessidades morais e emocionais que carreamos. Nesse trabalho dos grupos formadores do caráter e de nossa espiritualização, estaremos sempre em contato com o *ser luz* que almejamos para as realidades novas da existência, em contraposição às sombras acalentadas durante milênios. Essa fonte estimuladora é acréscimo de paz e serenidade ante as fortes reações cerceadoras do mundo íntimo, na busca de impedir-nos a caminhada de erguimento moral e espiritual.

Os grupos conscientes, portanto, são verdadeiras escolas de novos sentimentos.

Por meio dos reflexos da conduta alheia que assimilamos, passamos a esculpir uma nova ordem de hábitos, renovando desejos e sublimando a sombra das tendências inferiores em propósitos dignificantes.

Mesmo que em tais ambiências venhamos a sentir e a desejar o que não devemos, teremos arrimo psíquico e amizade sincera para compartilhar nossas necessidades, e só isso, muita vez, bastar-nos-á para ativar a vontade firme no domínio sobre nossos impulsos. Semelhante treinamento será nossa base de sustentação quando aferidos na rotina dos dias nos ambientes de provação, à qual todos nos encontramos guindados.

A vida afetiva é uma experiência que inclui desejos; burilemo-los sem fugas, nem supervalorização, compreendendo as escolhas da evolução moralmente tortuosa que empreendemos em milênios de loucuras emocionais.

Nosso passado é também nosso patrimônio; jamais o destruiremos, apenas o transformaremos.

A primeira condição de transformação, porém, é entendê-lo e aceitá-lo, por isso mergulhemos na vida interior e descubramos, por meio de nossos sentimentos, aquilo que desejamos, trabalhando pelo autodescobrimento.

Conhecendo-nos melhor, laboraremos com mais acerto o autoaperfeiçoamento. Enquanto isso, até decifrarmos com maior lucidez os códigos dos desejos, empenhemo-nos na contenção com amor a nós mesmos e na repetição perseverante dos anseios de libertação que nutrimos no dia a dia.

Capítulo 27

Pressões por testemunho

"Para isentá-lo da obsessão, é preciso fortificar a alma, pelo que necessário se torna que o obsidiado trabalhe pela sua própria melhoria, o que as mais das vezes basta para o livrar do obsessor, sem recorrer a terceiros."

O Evangelho Segundo o Espiritismo
Capítulo 28 - item 81

Era manhã de sexta-feira na Terra. Aprontávamo-nos todos para mais uma excursão de socorro e aprendizado. Dona Modesta, como de costume, seria nossa condutora.

Visitaríamos as regiões de dor na erraticidade. Antes, porém, beneficiaríamos o médium Sinésio, que cumpria a tarefa de polo magnético atrativo, tarefa apelidada pelo humorado Dr. Inácio Ferreira como *isca mediúnica*.

Nossa equipe compunha-se dos jovens Rosângela e Pedro Helvécio. Além deles, diversos componentes do grupo de irmão Ferreira estariam cumprindo a atividade de defesa. Irmão Ferreira é excelente trabalhador das regiões abismais. Graças à sua índole corajosa e seu incomparável poder mental, tornou-se o que se pode chamar, segundo dona Modesta, um cangaceiro do Cristo. Tendo vivido as lides do cangaço brasileiro, pernoitou longos anos de sofrimento em psicosferas pestilenciais, adquirindo vasta experiência sobre a maneira de atuação das trevas. Depois dessa etapa, resgatado a pedido de Jesus, destinado a Bezerra de Menezes e Eurípedes Barsanulfo, passou a compor o esquadrão de servidores da defesa no Hospital Esperança. Sua experiência pode ser concebida pelo fato de somente ele e Eurípedes conseguirem penetrar os mais inóspitos locais da inferioridade moral. Eurípedes, por suas conquistas superiores; irmão Ferreira, por ser um embaixador do Senhor, com recursos especialíssimos de força a ele emprestados para o serviço do bem e da remissão de si mesmo. Nosso irmão é o testemunho de que a proposta de Deus é a inclusão, jamais deixando nenhum de seus filhos sem a misericórdia do recomeço.

Sinésio é um médium aplicado e de vastas qualidades em desenvolvimento com seu esforço moral. Na noite anterior, foi estabelecida uma conexão mental com uma entidade perversa do grupo dos dragões[38].

Às sete horas em ponto, nosso grupo de assistência chegou a seu lar. Ele havia despertado com bom humor, mas logo que retomou seus deveres, a sanha perturbadora do desencarnado alterou seu campo mental. Notamos que às sete horas e trinta minutos suas mentalizações pairavam em torno de irritações e aflições inúteis e sem razão. Digladiava com preocupações da rotina material sem justos e necessários motivos, enquanto o hóspede infeliz induzia pensamentos de derrotismo e raiva. Às oito horas, Sinésio apresentava um quadro de intensa pressão espiritual que caracteriza a obsessão simples, da qual ninguém está isento nas esferas terrenas. Víamos, claramente, o sofrimento do medianeiro, o qual sabia lucidamente tratar-se de um episódio mediúnico. A cada hora intensificava-se mais a situação, graduava-se o assédio a cada minuto.

Em nossa equipe, percebíamos a tranquilidade de dona Modesta e irmão Ferreira, enquanto Rosângela, muito sensível à dor experimentada pelo companheiro no plano físico, não conteve seus ímpetos de compaixão e desabafou:

— *Mas, dona Modesta, por que deixar esse quadro correr solto? São passadas três horas, e pelo que vejo nas próprias reações físicas do médium ele terá o desajuste coronário, não demora!*

---

38 "Espíritos caídos no mal desde eras primevas da Criação Planetária, e que operam em zonas inferiores da vida, personificando líderes de rebelião, ódio, vaidade e egoísmo; não são, todavia, demônios eternos, porque individualmente se transformam para o bem, no curso dos séculos, qual acontece aos próprios homens." - Nota do autor espiritual, André Luiz, na obra *Libertação*, capítulo VIII, psicografada por Francisco Cândido Xavier.

— *Calma, Rosângela, tudo tem um fim útil, assim não fosse e já teríamos agido. Estamos aguardando o ataque... Sinésio é bem resistente, confie.*

Já eram passadas três horas e quarenta minutos, quando extenso vozerio a distância cortou a cena. Dona Modesta solicitou-nos vigilância e fé. Irmão Ferreira fez um leve sinal ao seu grupo, que se apressou em tomar posições estratégicas. Minha tarefa era convocar o medianeiro à oração, o que, sem dificuldades, foi captado por seu bondoso e oprimido coração. Ele orou compungidamente pedindo paz a Jesus pelas almas que lhe intensificavam as provas na vida espiritual; e o fez com tanta unção que, como se caridoso golpe de expulsão provocasse o desligamento entre as mentes, vimos o dragão literalmente caído, tal como se houvesse tomado um choque de graves proporções. Nessa hora, percebemos a origem do vozerio. Quase uma centena de almas ligadas às trevas se ajuntava ali. Um deles pronunciou:

— *O que é isso?! Um dragão tombado?! Quantas vezes vamos pelejar para derrubar um infeliz tão fraco como esse?! Vamos arruinar com a vida desse condenado e mostrar aos tutores que não existem créditos de proteção para quem deve.*

Para a surpresa do grupo, uma rede de acolhimento descia lentamente do Alto, envolvida em uma chuva de luzes vivas e multicoloridas, com o propósito de abranger a todos. Ouviam-se trovões e relâmpagos intensos, os quais eram perceptíveis com grande intensidade. Os sons lembravam os de uma guerra... A chusma de espíritos notou a força que lhes cercava. Irmão Ferreira surgiu em meio ao cenário como se se materializasse aos olhos de nossos irmãos, e pronunciou no seu tom costumeiro[39]:

---
[39] Preferimos o linguajar original de nosso irmão, que, segundo ele, imprime maior poder de diálogo com os habitantes das faixas sombrias.

— *O que vosmecê acha que vai fazê aqui? Nóis tamo aqui em nome de nossu senhô Jesus Cristo. E pedimo a bênçâo de Deus pra todos vosmecê.*

— *Seu cangaceiro estúpido, quanto tempo você acha que vai proteger esse fracassado?*

— *Isso eu num sei respondê, mas que agora nóis vamo tê uma conversa de home pra home, isso nóis vamo.*

A rede descia provocando medo em todo o grupo pela natureza das forças elevadas que emitia. Acordes apropriados para esse tipo de momento fluíam como se viessem de cada nó. Dona Modesta nos convocou à prece. Com incrível rapidez, os dragões se dispersaram, entre palavrões e juras de vingança. Ficou somente o obsessor caído. Irmão Ferreira, literalmente, colocou-o no colo e levou-o para um posto próximo das nossas movimentações. Rosângela, antes da saída do cangaceiro, a ele endereçou a seguinte questão:

— *Já que o obsessor vai ser beneficiado, o que meu irmão fará pelo médium?*

— *Oh, minina! Se vosmecê qué paparicá minino sadio, pode ficá. Vou pra onde Jesus correu com suas bênção. Vou acudi os obissessô. Isca é pra sê devorada. O que interessa é o peixe devoradô* – e soltou sua tradicional e altissonante risada.

Todos rimos do inesgotável bom humor de Ferreira em pleno momento de tumulto e atenção. Ele saiu prontamente, deixando-nos com dona Modesta e Helvécio. A rede de acolhimento foi levada juntamente com o grupo de cangaceiros, que a conduziriam até um local de segurança nas proximidades das regiões de padecimento nas quais nossos irmãos infortunados se acomodavam. Helvécio, atento e ponderado como sempre, destacou:

— *Que bênção a mediunidade com Jesus!*

— *Sim, Helvécio. Uma bênção incomensurável* – atalhou dona Modesta.

Por sua vez, Rosângela, preocupada com o médium, procurou saber o que lhe tinha sucedido. Verificando a mudança de clima mental e a instantânea felicidade na qual se encontrava, arriscou um palpite:

— *Há um minuto parecia uma mente na loucura ou um candidato ao enfarto do miocárdio, agora me dá a impressão de ser uma ave voejante que perpassa os mundos em profusão de paz e alegria. Que mudança!*

— *Não, Rosângela, a mudança foi o que aconteceu nas últimas horas, porque, em verdade, esse é o estado habitual da mente de Sinésio.*

— *Mas será por isso que o Ferreira nem se preocupou?*

— *Isso mesmo. Aqui o grande necessitado a ser socorrido era o dragão enfermo. O médium era apenas a isca. Ele tem o cérebro que assimila a prece com maior vitalidade, ordenando suas substâncias e promovendo a harmonia. Nosso irmão fora do corpo, no entanto, está exaurido e com terríveis lembranças que não tem como esquecer nos labirintos mentais, é escravo de profundas hipnoses e rasteja por entre fios e grilhões de matéria semicondensada, ligada às regiões em que estagia nas penumbras da vida imortal. Em toda obsessão, a dor maior é sempre daqueles que não têm um corpo físico para abafar as traumáticas reminiscências de outros tempos. Os desencarnados sabem e podem mais pela liberdade de ação; os encarnados, entretanto, estão mais bem aquinhoados de estímulos para vencer os circuitos viciosos da dor das recordações.*

— *Seria justo considerar que o sofrimento de algumas horas de Sinésio é menor que as lutas enfrentadas por essa criatura aqui amparada?*

— *Sem dúvida nenhuma. Nossos irmãos na Terra tratam os obsidiados como vítimas de cobradores impiedosos tão somente porque não conhecem com detalhes os infinitos e complexos dramas da mente sem o torpor da matéria. Se pudessem conceber semelhantes dores, chorariam pelos que aqui se encontram. Todo obsidiado apela para o amparo refazente que se encontra disponível nas casas de amor. Os obsessores, no entanto, não descobriram ainda como definir seus caminhos perante as graves perturbações emotivas que carregam e se iludem com as sensações inferiores de vingança e humilhação perante quantos fazem luz que os importuna e agride.*

— *E por que é permitido que um médium com o campo mental ajustado passe por esse tipo de transtorno? Não seria mais justo poupar-lhe, já que vem burilando seus pendores e buscando o crescimento? Com sinceridade, dona Modesta, não consigo entender a razão de uma obsessão em tão esforçada criatura...*

— *Filha querida, que queria você? Que Sinésio ajuntasse luz somente para ostentar grandeza? Que bens adviriam de uma mediunidade se o médium, a pretexto de sossego justo, não mais desejasse usar sua luz para exterminar as trevas do mundo? Essa é a chamada pressão espiritual por testemunho. Quadro comum na vida dos trabalhadores do Cristo. Mesmo quando guardam cuidado e vigilância, devoção e disciplina com a conduta, são chamados a servir e testemunhar seus valores. Na Terra, o homem ainda cultiva a ideia da melhora espiritual como forma de regozijo e paz perene e egoísta. Você mesmo, Rosângela, que veio da formação evangélica, sabe bem do que estou falando. Sinésio, pelos recursos de amadurecimento que tem desenvolvido, pode participar dessas iniciativas sem riscos maiores em razão das reservas morais de sua força psíquica. Tornando-se alvo de alguma trama dos adversários, funciona como uma isca, atraindo para muito perto da sua vida mental os desencarnados que, sem perceberem, emaranham-se em uma teia de irradiações poderosas, permitindo-nos uma ação mais concreta em comparação a muitas das incursões nos vales sombrios. Temos, assim, um típico e pouco comum episódio de obsessão simples que termina tão logo é feito o desligamento de ambas as mentes. Uma obsessão provocada, uma obsessão controlada.*

— *Mas e se o nosso irmão não dispusesse de algum recurso no campo moral que ensejasse essa iniciativa?*

— *Simplesmente não cometeríamos o absurdo de entregar uma esperança nas mãos do fracasso. Nesse caso, além de poder servir à Lei do Amor, o médium dilata suas resistências espirituais logrando um excelente patrimônio autodefensivo para esses instantes tormentosos da Terra. Atualmente, até mesmo os que não peregrinam pela mediunidade ostensiva são atacados por espessa nuvem negra bacteriana que paira na psicosfera, capaz de provocar os mais diversos prejuízos, conforme os costumes de cada criatura. O Codificador, sempre detalhista nas suas observações, ocupou-se em receber dos Sábios Guias alguma orientação sobre o tema, como segue:*

"Por que permite Deus que Espíritos nos excitem ao mal?"

"Os Espíritos imperfeitos são instrumentos próprios a pôr em prova a fé e a constância dos homens na prática do bem."[40]

---
40 *O Livro dos Espíritos* – Questão 466.

Como vemos, a vida espiritual é um oceano de novidades que o homem reencarnado, mesmo guardando noções valorosas de espiritualidade, nem sequer imagina sobre as infinitas leis e ocorrências por aqui experienciadas.

Por isso, os espíritas, que em muitas ocasiões demonstram presunção e sapiência acerca da vida imortal, devem procurar revisar sua postura moral, porque, como já disse Shakespeare: "Existem mais coisas entre o céu e a Terra do que sonha a nossa vã filosofia".

Capítulo 28

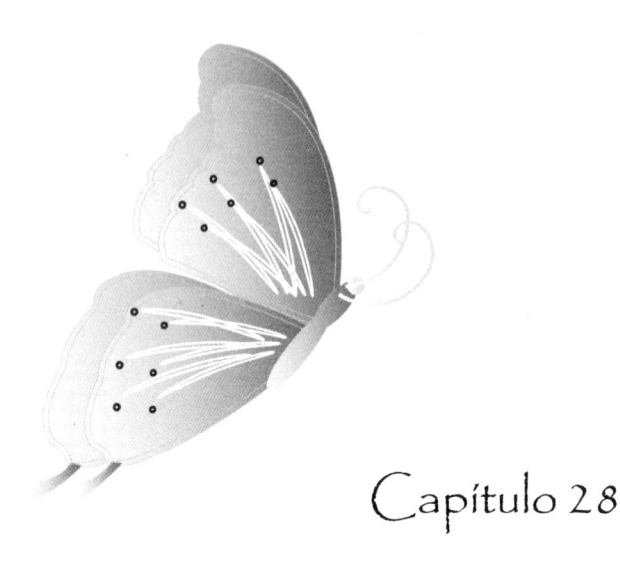

A força do bem

"Toda ideia nova forçosamente encontra oposição e nenhuma há que se implante sem lutas. Ora, nesses casos, a resistência é sempre proporcional à importância dos resultados previstos, porque, quanto maior ela é, tanto mais numerosos são os interesses que fere."

O Evangelho Segundo o Espiritismo
Capítulo 23 - item 12

A rotina dos nossos serviços no Hospital Esperança foi interrompida, naquele dia, por um chamado para atendimento na crosta terrestre.

Tratava-se de Juarez, médium em regime de educação das forças mentais, o qual rogou amparo diante de imprevista ocorrência em sua vida profissional. Sua oração, conquanto carregada de desespero, foi registrada em nossos Núcleos Irradiadores e o pedido, como de costume, chegou ao pavilhão dirigido por dona Modesta, que nos conclamou ao trabalho.

Chegamos juntas ao ambiente comercial de Juarez, dona Modesta e nós.

Ele estava ansioso e compenetrado no episódio, o qual assumiu proporções avassaladoras em sua mente. Providenciamos alguns fluidos calmantes para que ele mantivesse o equilíbrio; era um homem de gênio explosivo e pouco cordato, especialmente nos negócios.

Seu estabelecimento seria visitado por um fiscal de impostos. Notamos que a mente do nosso amigo estava em franco delírio. Pensamentos de oposição espiritual tomavam conta de seu cérebro. Dizia para consigo: "Querem me derrotar porque estou no trabalho do bem!", "Tenho certeza de que foi uma cilada espiritual em razão das últimas palestras que fiz sobre temas evangélicos!". Sua fixação em ideias de pressões espirituais de adversários vagueava pelo terreno do místico e imponderável. Não pensou em alguma atitude juridicamente defensiva nem na própria negligência, com a qual se tornou possível a ocorrência. Não constatávamos a presença de nenhum ardil de obsessores contra ele naquele caso.

A dívida era vultosa. Infelizmente, apesar dos apelos de amigos e parentes, Juarez preferiu a omissão.

À hora previamente determinada, chegou um homem maduro e carrancudo, com ares de severidade. A visita foi rápida e cordial. Apenas mais uma advertência, nada de execução judicial, por enquanto. O médium, agora aliviado, mentalizava em seus pensamentos: "Como os amigos espirituais são bons e amparam quem está na tarefa!"

De nossa parte, o único amparo dispensado, na verdade, foi a ele próprio, a fim de que não se excedesse na conduta.

Terminada nossa visita, dona Modesta sintetizou em pequena frase uma ampla experiência que merece estudo e aprofundamento nas relações entre homens e espíritos:

— Veja só, Ermance! Os homens costumam ver os espíritos onde eles não estão, e onde eles estão não costumam ser vistos pelos homens!

Situações como a de nosso amigo comerciante têm sido constantemente assinaladas no dia a dia do homem encarnado, seja portador de faculdades psíquicas mais evidentes ou não.

O ser humano é essencialmente místico, mas, principalmente entre os cultores da fé espírita, essa tendência tem sido acentuadamente empregada na construção da realidade individual, atingindo, algumas vezes, as raias da insensatez. O exagero nesse tema tem ensejado devaneios com consequências morais nocivas para a vida de muitos homens na Terra. Menor esforço e irresponsabilidade em razão de fantasias provenientes do pensamento mágico têm criado campo para a fuga e a ilusão.

Explorações psíquicas têm ocorrido em torno do tema.

Visitamos, certa vez, um médium de cura, em cidade localizada no polígono magnético do planalto central, e constatamos um nível acentuado e sutil de desequilíbrio que ilustra nossa tese. Nosso amigo já não vivia mais a realidade do plano físico, uma quase esquizofrenia cindia-lhe o pensamento. Não ouvia mais os amigos de convivência, julgava estar sob uma influência exclusiva dos espíritos em todos os fatos que o cercavam. Nos êxitos, rendia homenagens aos benfeitores como forma inteligente de engrandecer sua suposta humildade, no entanto, encharcava-se na vaidade pessoal de ter sido ele o intermediário do sucesso. Nos fracassos, imputava irrevogável responsabilidade às trevas e sua sanha perseguidora, abdicando de incursionar no campo da autoanálise e verificar sua parcela pessoal nos acontecimentos infelicitadores.

Inclusive uma questão merece urgente avaliação. Convencionou-se, entre alguns adeptos espíritas, mensurar o valor espiritual de uma tarefa pela oposição trevosa (conforme denominação usual no plano físico) que lhe é imposta. Alguns companheiros, inspirados nessa tese, interpretam todos os obstáculos em torno de seus passos no serviço doutrinário como ciladas e manobras contra seus ideais, como se tal critério constituísse um sistema de aferição exato e universal. Apoiados nas palavras do codificador, que diz: "Assim, pois, a medida da importância e dos resultados de uma ideia nova se encontra na emoção que o seu aparecimento causa, na violência da oposição que provoca, bem como no grau e na persistência da ira de seus adversários."[41] Com esse excesso interpretativo, caminham para a escassez de discernimento, perdendo de vista o exame que deveriam proceder em suas próprias atitudes ou decisões na tarefa que, constantemente, são as únicas e verdadeiras brechas com as quais os opositores do ideal laboram. Inquestionavelmente, e a literatura espírita é farta de informes a esse respeito, não estamos fazendo um convite ao deboche sobre a maneira de atuação dos inimigos desencarnados da causa do amor. Ingenuidade nessa questão será mais uma porta aberta para o acesso dos maus espíritos, mencionando o lúcido Allan Kardec.[42]

As trevas só têm a importância que nós lhes emprestamos – palavras sábias de dona Modesta em oportuna citação feita por ela à codificação, nas palavras da Equipe Verdade: "A fraqueza, o descuido ou o orgulho do homem são exclusivamente o que empresta força aos maus Espíritos, cujo poder todo advém do fato de lhes não opordes resistência"[43].

Será que semelhantes reações ao nosso esforço não poderiam também advir de descuidos e inexperiência? O sutil desejo de realce pessoal ou a pretensão dos pontos de vista, tão difícil de ser percebida, não poderiam ser a causa exclusiva de tanto burburinho e problemas nas frentes de atuação que erguemos?

O enfoque excessivamente carregado de ideias místicas tira-nos a possibilidade de tornar a relação entre as sociedades física e espiritual uma escola de despertamento e crescimento para os valores da alma. Utilizando a expressão do guia dos médiuns e

---

41 *O Evangelho Segundo o Espiritismo* – Capítulo XXIII – item 12
42 *O Livro dos Médiuns* – Capítulo 20 – item 228.
43 *O Livro dos Espíritos* – Questão 498.

evocadores, *O Livro dos Médiuns*, o laboratório do mundo invisível cerca a natureza terrena com objetivos de ascensão para quantos se encontrem em ambas as faixas de vida.

Quantas críticas e discordâncias, desavenças e tropeços existem nas equipes espíritas com as quais as trevas, sem muito esforço, exploram assiduamente?

Mais que natural a luz acesa ser perseguida pelas sombras. Faz parte da Lei de Amor essa atração opositora. Por ela, quem está na luz se fortalece iluminando-se ainda mais, e quem jaz na penumbra encontra o perdão de Deus na claridade da vitória do bem nos lampejos da conduta alheia.

As convicções pessoais intransigentes e a imprudência são as armas mais poderosas daqueles que se posicionam contra o nosso esforço autoeducativo, porque formam o campo mental propício para a sintonia e a perturbação que decorrem do personalismo e da invigilância.

Nenhuma força é maior que o bem em todos os tempos. Firmemos nossa crença nesse *brasão mental* e roguemos o acréscimo da misericórdia, uma vez que sabemos da nossa fragilidade. Com essa fórmula ninguém sucumbirá sob o peso das vigorosas forças contrárias que existem para nos dilatar o poder de cooperação individual na obra do Todo-Poderoso Criador do Universo.

Capítulo 29

Psicosfera

"Sede indulgentes, meus amigos, porquanto a indulgência atrai, acalma, ergue, ao passo que o rigor desanima, afasta e irrita." - José, Espírito protetor.

O Evangelho Segundo o Espiritismo
Capítulo 10 - item 16

No Universo tudo é vida e transformação. Leis imutáveis regem a harmonia pelo regime de unidade. A vida do homem em sociedade, submetida a essas leis naturais, respira nesse engenho divino que destina os seres à evolução. A ordem que preside tais fenômenos é regida por princípios de atração e repulsão que esculpem, pouco a pouco, os valores morais dignificadores da vida interpessoal. Semelhante atrai semelhante e opostos se retraem.

O pensamento é força energética com cargas vigorosas, e o sentimento lhe dá qualidade e vida tornando o psiquismo humano o piso de formação dos ambientes em todo lugar.

Tomando por comparação as teias das aranhas, criadas para capturar alimentação e se defender, a mente humana, de modo similar, tem seu campo mental de absorção e defesa estabelecido pelo teor de sua radiação moral: são as psicosferas. Quanto mais moralizado, mais resistente é o circuito de imunidade da aura, preservando o homem das agressões naturais de seu ecopsiquismo e selecionando o alimento mental vitalizador do equilíbrio de todo o cosmo biopsíquico.

O estudo da formação das psicosferas nos explica a razão de muitas sensações e incômodos claramente percebidos pelas criaturas na rotina de seus afazeres nos ambientes da convivência social. Enxaquecas repentinas, náuseas, falta de oxigenação, tonturas, alterações de humor instantâneas, alterações no bem-estar íntimo sem razões plausíveis, irritações ocasionais sem motivos, sentimentos de agressividade, ansiedade e tristeza súbita, indisposição contra alguém sem ocorrências que justifiquem, eis alguns dos possíveis episódios que podem ter origem na natureza psíquica dos ambientes.

Evidentemente, os locais de nossa movimentação serão sempre o resultado da soma geral das criações que neles imprimimos, colhendo dessa semeadura somente os frutos que guardem semelhança com a qualidade das sementes que espalhamos. Dessa forma, alguns descuidos da conduta ensejam romper com as teias mentais defensivas em razão da natureza de nossas ações.

Nesse sentido, faz-se necessário destacar que a palavra mal conduzida tem sido uma das mais frequentes formas de fragilizar nosso sossego interior. Por meio dela temos permitido uma ligação quase permanente, pela lei da associação mental, com os campos de nutrição e defesa alheios, criando uma espécie de comunidade de vínculos na qual nos encarceramos a onerosos desgastes voluntários, quais os citados acima. Basta imaginar várias teias de aranha se encontrando nas extremidades, formando o enorme manto. Assim, passam a ser elos de contato e abertura a toda espécie de seres que se movimentem naquelas faixas nas quais sintonizamos.

Tudo isso pela invigilância em acentuar os aspectos sombrios dos outros e do meio, passando a partilhar na intimidade daquela inferioridade que destacamos fora de nós.

Vemos, frequentemente, pessoas preocupadas com o mal que o outro pode lhe fazer, temerosas com os *olhos gordos* que lhes infundem fantasias místicas e sentimentos inferiores em relação a alguém, entretanto, ignoram que seu grande inimigo, seu grande oponente são elas mesmas, por meio de comportamentos pelos quais atraem o mal para si mesmas. Somos sempre os únicos responsáveis por nós.

O homem na Terra encontra-se tão habituado a denegrir o outro que não é capaz de avaliar o mal que faz a si mesmo com essa atitude. No entanto, na medida em que busca sua transformação, afeiçoa-se a conduzir sua palavra mais nobremente em relação ao próximo e a tudo que o cerca. Somente então, quando inicia um programa de disciplina, consegue aquilatar com mais sensibilidade o quanto custa em seu desfavor o descuido com o verbo edificante.

Essa necessidade humana de destacar o mal alheio encobre, quase sempre, o desejo de rebaixar o outro e causa a ilusória sensação de superioridade, uma maquinação milenar do orgulho nos recessos da mente. Para nos referir ao mal alheio sem causar prejuízos a nós próprios, precisamos antes proceder a uma análise da natureza das emoções e intenções que nos conduzem a agir dessa forma. O que necessitamos aprender é sondar os nossos sentimentos quando falamos de alguém, o que está na nossa vida afetiva quando mencionamos o outro. Somente assim conheceremos melhor nossas reais motivações e teremos condições de empreender mudanças de postura eficazes, que manterão nosso campo espiritual defendido das cargas enfermiças daquilo que não nos pertence.

Recordemos que os ambientes são o espelho do que somos. Se já percebemos o quanto é pernicioso o hábito de criticar por criticar, de julgar com inflexibilidade, de mentir sobre os atos dos outros ou ainda de difamar a vida alheia, então façamos uma pausa para entender as causas de nossas ações, perguntando ao tribunal da consciência a verdadeira razão pela qual ainda tomamos essas atitudes. Por que temos essas necessidades? Por que alguém é sempre alvo de nossos comentários deprimentes? Por que alguém nos incomoda tanto? Que posso fazer para amanhã não agir da mesma maneira?

Além disso, ore sempre nos círculos de trânsito por onde vivas, iluminando sua aura e fortalecendo suas defesas contra as teias mentais daqueles que também agem nas trilhas ferinas da palavra áspera e malfazeja.

José, o Espírito protetor, diz que a indulgência acalma e atrai. Verdade incontestável.

Quando vemos os defeitos alheios, mas nos dispomos a tratá-los com real fraternidade e compreensão, aderindo espontaneamente ao hábito de destacar-lhes também o lado positivo que possuem, candidatamo-nos a ser os Samaritanos da vida no socorro às doenças alheias, imunizando-nos dos infelizes reflexos que decorrem das ações às quais, muitas vezes, adotamos contra nós mesmos, na condição de juízes e censores implacáveis da conduta do próximo. A indulgência cria focos de atração e interesse, faz as pessoas se sentir calmas e benquistas ao nosso lado, elevando-lhes o astral emocional para viverem mais felizes.

Zelemos por nossos ambientes tornando-os saudáveis e agradáveis para conviver. Otimismo incondicional, vibrações positivas sempre, tolerância construtiva, cativar laços, o hábito contínuo da oração, sorrir sempre, expressar alegria e humor contagiantes, dar pouca ou nenhuma importância aos reclames e pessimismo dos outros, guardar a certeza de que ninguém pode nos prejudicar além de nós mesmos, querer o bem alheio, essas são algumas formas para a edificação de psicosferas ricas de saúde e paz, medidas salvadoras de asseio espiritual que eliminarão expressiva soma de problemas voluntários, dos quais podemos nos ver livres, desde que realmente desejemos.

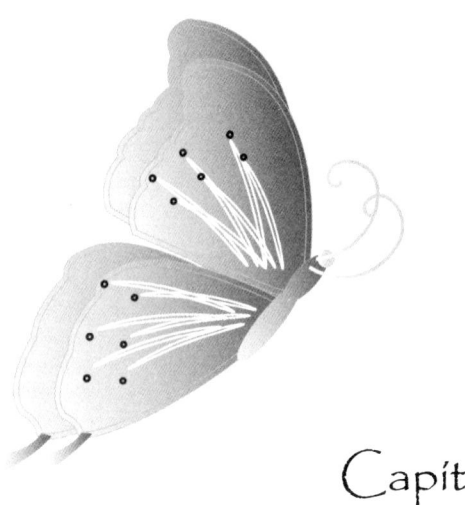

Capítulo 30

Conclave de líderes

"Expulsai da Terra o egoísmo para que ela possa subir na escala dos mundos, porquanto já é tempo de a Humanidade envergar sua veste viril, para o que cumpre que primeiramente o expilais dos vossos corações."

O Evangelho Segundo o Espiritismo
Capítulo 11 - item 11

Faltavam apenas dez minutos para as duas horas. A madrugada revestia-se de intenso trabalho. Era a última semana do segundo milênio da era cristã. As expectativas criavam um clima psicológico na Terra de rara amplitude - uma virada de ano na qual as esperanças se renovavam coroadas de júbilo e fé.

Cumprindo mais uma de nossas programações no Hospital Esperança, reunimos influente grupo encarnado de pouco mais de mil formadores de opinião no movimento espírita. Trouxemo-los para uma breve e oportuna advertência. Radialistas, unificadores, médiuns, escritores, oradores, dirigentes, apresentadores, jornalistas, expositores, diretores, estudiosos e muitos presidentes de centro espírita estavam sendo devidamente preparados havia quase três dias para que pudessem cooperar com o desligamento perispiritual e ampliassem sua lucidez quanto ao tentame.

O professor Cícero Pereira foi encarregado de fazer os comentários em nome de Bezerra de Menezes e Eurípedes Barsanulfo.

Observávamos a chegada de cada um dos membros, todos em estado de emancipação e acompanhados de pelo menos três cooperadores que se revezavam em variadas tarefas junto a cada um deles. Alguns ofereciam dificuldade até para se assentar nos lugares a eles reservados no salão, contudo, no horário previsto, tudo era calmaria e prontidão para o serviço da noite.

Aos dois minutos para as duas horas entraram Eurípedes e dona Modesta ladeando o amado Bezerra e o professor.

Em brevíssima e sentida prece, Eurípedes ordenou o iniciar dos trabalhos. Dona Modesta tomou de um microfone para explicar o objetivo da ocasião, dizendo:

— Amigos, paz e esperança a todos. Nosso tempo é curto em razão das condições especialíssimas a que foram aqui trazidos para guardar registros nítidos e úteis ao regressarem ao corpo. Portanto, que fiquem claros nossos objetivos nesse encontro. O momento psicológico nessa última semana do milênio enseja sentimentos elevados em relação ao futuro. A mensagem que vos queremos endereçar diz respeito à necessidade imperiosa de propagarem uma noção mais realista e estimuladora do processo de crescimento espiritual entre vós. Sem fé nos esforços e sem a crença sustentável nos ideais de renovação interior a caminhada do discípulo do Cristo fica entorpecida e fragilizada. Atendendo aos ditames proclamados por Bezerra de Menezes em sua magistral palestra "Atitude de Amor"[44], convém-nos tecer considerações sobre o coração dos temas morais do Espiritismo: a reforma íntima. Abram o coração e dilatem o raciocínio para ouvir a mensagem de Cícero Pereira e, em retornando ao corpo, arregimentem energias na difusão de uma campanha sem precedentes em torno do tema. Por ora, nos comprometemos em lhes enviar no futuro uma resenha desse nosso encontro pela via da mediunidade, a fim de acordarem vossas lembranças. Vamos ao labor.

Dona Modesta fez um sinal ao professor, o qual assumiu a tribuna:

---
[44] Seara Bendita, Diversos Espíritos, Maria José C. S. Oliveira e Wanderley S. Oliveira, Introdução, "Atitude de Amor", Editora Dufaux.

— Declinarei de quaisquer detalhes que nos afastem do tema. Desejo que todos enriqueçam as almas nesse conclave com a paz e a esperança.

"Constatamos um ascendente número de adeptos que têm desistido dos ideais de melhoria em razão do ônus voluntário que carreiam para si mesmos ao conceberem a reforma íntima como um compromisso de angelitude imediata. O momento exige autocrítica e vigilância. Além do ônus do martírio a que se impõem, ilusões lamentáveis têm povoado a mente de muitos espíritas sobre o porvir que os espera para além dos muros da morte, em razão dessa angelitude de adorno. Aqui mesmo, nesse hospital, enfrentamos situações severas da parte de homens e mulheres, os quais foram agraciados com o conhecimento e o trabalho nos campos educativos da seara espírita e que, a despeito de suas honrosas fichas de prestação de serviços, encontram-se envergonhados uns e atormentados outros porque descuidaram do erguimento dos valores eternos na sua intimidade. Muitos deles, aliás, não esqueceram a reforma íntima, mas não souberam edificá-la.

"Os espíritas que desencarnam em melhores condições trazem em comum a persistência que nutriram no idealismo superior até o último dia em seus corpos físicos. Essa, porém, não tem sido a marca moral da maioria, que, variadas vezes, tem se equivocado com padrões de conduta espírita consagrada nos círculos da doutrina entre os homens. Tais equívocos existem porque os modelos erigidos como referências, quase sempre, conduzem o discípulo à acomodação e ao desculpismo, que produzem o desleixo na avaliação íntima das causas de suas imperfeições. Nessa passarela de perfis de comportamento socialmente aceitos dentro da Seara, a criatura sente-se excluída e falida quando não consegue transpor os umbrais de seus impulsos, nem sempre conhecidos de si mesma, para atender aos quesitos que a inserem na condição de verdadeiro espírita, conforme os critérios espontaneamente aceitos pela coletividade dos seguidores. A partir de então, se não conta com a fraternidade e a compreensão alheia, desiste dos seus ideais ante os assédios da dor psicológica decorrente da autocobrança.

"Somente sentindo-se aceita como é nos grupos de sua participação é que a criatura encontra motivação para se burilar nos campos do espírito. Essa não tem sido a realidade de muitos grupamentos que, lamentavelmente, em muitas ocasiões, ao invés de cumprir a aspiração de serem Casas de Consolo e Verdade encarceram-se nos desfiladeiros de templos de hipocrisia e intransigência.

"A reforma íntima não pode mais se circunscrever a mero artigo de discurso para que haja um sentido evangélico nas ideias espirituais que construímos na tarefa da comunicação de nossos princípios. Precisamos examiná-la minuciosamente com mais clareza para que a imaginação humana, limitada por ilusões, não a converta em fórmula salvacionista, mensurando-a por esses padrões de pouco ou nenhum valor moral.

"Tivemos três fases bem marcantes e entrelaçadas no movimento humano em torno das ideias espíritas: o fenômeno, a caridade seguida da difusão e, agora, mais que nunca, a interiorização. Entramos no período da maioridade, preparando-nos para a aquisição de valores incorruptíveis. Nossa meta é o Espiritismo por dentro, o intercâmbio de vivências morais à luz das bases que consolidam a lógica do pensamento espírita. Na etapa da caridade em que predominou a ocupação com o próximo, muitos corações se inspiraram nos conceitos doutrinários para transferir a outras existências a continuidade de seu progresso na melhoria espiritual. Raramente ouvimos esse enfoque descuidado nos dias atuais. Por outro lado, uma nova postura extremista desponta com vigor: a santidade instantânea. Se ontem havia um descuido em razão de fugas, hoje temos uma nova invigilância por causa da ilusão em saltos evolutivos.

"Inspirados em padrões de comportamentos rígidos da religião organizada, muitos discípulos da boa nova espírita asseveram seguir os exemplos de Jesus e Kardec, guardando cenho carregado e distância das atitudes espontâneas de alegria e afeto, alegando seguir as orientações doutrinárias, como se houvesse um estilo exterior e predefinido de reconhecimento dos espíritas. A grandes malefícios tem levado essa cultura de santificação de adorno por impedir as criaturas a uma incursão nas profundezas de si mesmas, objetivando identificar as necessidades individuais de aprimoramento. Cada Espírito tem imperfeições próprias, únicas, e também qualidades em diversificada intensidade e características, não sendo útil nem sensata a adoção de um elenco de convenções religiosas de fora para dentro para serem seguidas.

"Espiritismo é a mensagem da Boa Nova para os tempos atuais. Boa Nova quer dizer boa notícia, boa novidade, e o principal sentimento de quem comunica uma boa notícia é a alegria. Por mais avançadas que sejam as conquistas humanas, o Evangelho continua sendo a Grande Novidade desprezada pelos homens para que reine a paz e a equidade social, o caminho esquecido e protelado por se tratar da porta estreita que exige conduta austera e vigilância permanente. Boa conduta e vigilância, no entanto, não significam que se deva cobrir de tristeza e carranca a pretexto de ser responsável e íntegro.

"Trabalhamos para que o movimento espírita se alinhe com os demais movimentos humanos que colaboram para o apressamento da regeneração. A despeito de suas valorosas conquistas, não poderá triunfar ante os desafios sociais da atualidade sem assumir o compromisso de projetos orientados para o crescimento pessoal. A solidez da moral que sustenta os fundamentos do corpo doutrinário espírita constituirá o grande diferencial entre todos os métodos até hoje utilizados pela religião para conscientizar o homem. Fechar os olhos para essa necessidade poderá prolongar e fortalecer as primeiras sequelas palpáveis do processo de institucionalização, o qual tem inspirado nocivos episódios de estagnação e dogmatismo nas concepções e nas atitudes no seio desse movimento."

Nesse trecho da palestra, o clima do início sofreu significativa alteração. A plateia mantinha-se atenta aos comentários do palestrante. Alguns companheiros ofereciam certa dificuldade para se manter aquietados, o que logo era contornado pelos atentos cooperadores que se espalhavam aos milhares em funções previamente definidas para o encontro.

Pelo olhar do professor para a mesa onde se assentavam Eurípedes, dona Modesta e Bezerra, sentimos que abordaria delicada questão em sua fala. E como se buscasse aval, assim continuou:

— Motivemos os núcleos espiritistas a uma campanha de esforços pela implantação da noção de escola do espírito, erguendo trincheiras seguras e generosas para o entendimento mais consistente do ato de educar a si mesmo. Mais do que Espiritismo curricular, nobre em seus fundamentos universais, necessitamos de esperança e consolo na alma para estabelecermos um clima de otimismo e entendimento na superação dos percalços do caminho de transformações íntimas a que fomos todos convocados, integrando nossa ação, definitivamente, com todos os paradigmas descerrados pela proposta cósmica da Doutrina Espírita.

"Nessa escola da alma pensemos os valores humanos como metas possíveis, e não como virtudes angelicais, as quais permanecemos muito distantes da possibilidade de experimentar. Iniciemos claramente uma cultura de autoestima e fé em nossas potencialidades, sem receio dos tenebrosos assaltos da vaidade e do orgulho. A mensagem da Boa Nova é para todos os que desejam adotá-la como roteiro de vida. Conceber as propostas Sábias de Jesus como um convite para um futuro longínquo é agasalhar desânimo e desvalor para com nossas habilidades latentes. O Mestre não nos traria um convite ao qual não tivéssemos condições de responder. Mesmo passados tantos séculos depois de Seu exuberante Ministério de Amor, Ele nos aguarda confiantes na decisão de segui-Lo.

"A ausência de horizontes novos sobre velhas lutas, enfrentadas pelos discípulos espíritas no campo íntimo, tem lhes desmotivado em relação aos nobres ideais de crescimento. Buscam respostas e caminhos, mas eis que os vigorosos reflexos da esteira evolutiva teimam em se apresentar, provocando desgosto e baixa autoestima, subtraindo o vigor da sinceridade nos compromissos de melhoria assumidos perante a consciência.

"Dura realidade precisa ser avaliada em favor de nosso próprio bem: mais do que práticas e instituições, é necessário preparar o seguidor da doutrina para aprender a gostar de relacionamentos. Com raríssimas exceções, o espírita, assim como a maioria dos homens reencarnados, não aprendeu a gostar das pessoas com as quais convive, descobrir-lhes as virtudes, encantar-se com suas diferenças, cultivar a empatia. Muitos agem como se pudessem se beneficiar das práticas que tanto amam sem ter de suportar o peso das imperfeições alheias – o que muito lhes agradaria. Ama-se, muitas vezes, com mais alegria, o Centro, suas dependências e tarefas do que aqueles que nele transitam. Há companheiros com mais cuidado com seus livros espíritas que com os amigos de tarefa."

Novamente constatou-se a inquietude entre os ouvintes. Algo lhes desagradava profundamente. O professor não se fazia surpreso e prosseguia sem temor:

— No que diz respeito aos núcleos espíritas, especialmente, convenhamos que o excesso normativo tem levado a prejuízos incalculáveis na criação de relações autênticas e educativas. Necessário resgatar o foco central do Espiritismo: o amor entre os homens antes de ritos e práticas, os quais não passam de recursos didáticos de aprendizado e enriquecimento das vivências.

"A proposta do amor contida no Espiritismo cristão não deve ser circunscrita a meros discursos estéticos na tribuna, tampouco a ocasionais doações de fins de semana no tempo que sobra às tarefas caritativas. O lar e a vizinhança, a rua e a empresa, a escola e as instituições humanas de recreação, os grupos sociais em geral aguardam-nos na condição de sal da terra para operar a inadiável metamorfose espiritual da regeneração.

"Consolidemos projetos de humanização nas agremiações da Terra em favor de dias melhores e mais proveitosos, como nos convoca o amado Bezerra de Menezes a vigorosa aplicação de um programa de valores humanos nos centros espíritas.[45] O espírita passou a ser um conhecedor da vida espiritual e suas leis, mas continua ignorante sobre si mesmo, porque adota estudos sistematizados de Espiritismo, mas permanece um vácuo nos estudos sistematizados sobre si mesmo, o autoconhecimento. Temos aqui mesmo, no Hospital Esperança, muitos devotos que detinham toda a história do Espiritismo na memória, conheciam bem todos os clássicos da Doutrina, contudo, não se esforçavam para estampar um sorriso aos companheiros de grupo."

Após essa fala grave, houve um burburinho geral. Curiosidade e certa dose de desconforto pairaram no ar. Todavia, a medida em curso não comportava maiores divagações diante do estado de sonambulismo em que se encontravam os encarnados. Embora alguns tenham ensaiado algumas indagações e questionamentos, foram contidos por seus condutores. Qualquer estado de exaltação poderia pôr a perder a incomparável ocasião. Refeito o ambiente, o professor, com mais ênfase e tomado de abundante afetividade, pronunciou-se como a saber da natureza das dúvidas que não chegaram a ser externadas, dessa forma:

— Ninguém, em sã consciência, poderá negar que velhas fórmulas religiosas foram copiadas para a estrutura de nossa seara, estimulando o retorno de fracassadas vivências da alma no campo do egoísmo.

"Religião sem religiosidade é uma separação milenar em nossas ações!

---

45 Seara Bendita, Diversos Espíritos, Maria José C. S. Oliveira e Wanderley S. Oliveira, Introdução, "Atitude de Amor", Editora Dufaux.

"Temos projetos sociais religiosos, entretanto, são escassos os nossos projetos pedagógicos de religiosidade. A ação social espírita, tão rica de iniciativas, quase sempre tem priorizado o ato de solidariedade distante do seu caráter educativo, esbarrando, vez que outra, nos 'recifes' dos movimentos religiosos de massa, encalhando inúmeras vezes a embarcação do raciocínio nos excessos da fé de superfície. Nossas ações sociais estão cada vez mais contaminadas pela linguagem dos significados, isto é, pela concepção interpretativa do Espiritismo centrada no discurso salvacionista, sustentando posturas de ufanismo ideológico e ausência de diálogo, em oposição aos princípios de fraternidade acolhedora e interatividade pacífica, os quais emergem da filosofia espírita e que deveriam florescer em relações de paz e inclusão. Assim expressamos com rigor, para que não estimulem em seus trabalhos de formação de opinião as expectativas de angelitude após a morte corporal. Por mais nobres sejam as obras que ergamos, por mais devoção que a elas ofereçamos, torna-se imperioso o desapego de fantasias de merecimento em torno de supostas honrarias no reino dos espíritos. Adotemos a condição de aprendizes e servos, pelo bem de nossa paz. Nossas atividades, por mais nobres que sejam, não passam de frutos da boa vontade de quem está recomeçando.

"A visão religiosa com a qual fomos educados fez do erro o pecado e da melhoria da alma uma virtude para almas seletas. Jesus, como modelo e guia, tem sido interpretado como uma meta distante e para poucos, incentivando a mentalidade da estagnação.

"Ao longo dos milênios de experimentos evolutivos, o homem instintivamente praticou a adoração ao Ser Supremo nas mais variadas formas. Desde os horizontes da racionalidade primitiva até os antecedentes da religião organizada, foram muitas as conquistas humanas cujo fim foi reverenciar esse Ser Onipotente que hoje chamamos Criador e Pai. Semelhantes vivências arquivadas na alma passaram a constituir o patrimônio mental da religiosidade – impulso humano para buscar o transcendental, o sagrado. E como religiosidade se expressa de conformidade com as conquistas espirituais e intelectivas, a necessidade psicológica de adoração exterior para tornar mais concreta a relação com Deus fez surgir um enorme contingente de rituais e cerimônias, castas e convenções que determinaram uma ética própria para quantos se filiassem aos roteiros dessa ou daquela crença. Nasceram, então, os padrões de conduta religiosa estabelecidos para que o homem se apresente a Deus em condições dignas de Sua aprovação. Secciona-se o profano do sagrado causando uma divisão inconciliável entre comportamentos classificados como puros e impuros aos olhos do Pai.

"O dogma como crença imposta toma feições fortes porque veio a galope no dorso das ameaças do céu, nascidas em concílios e tribunais recheados de interesses de facção. Dentre essas sacramentações ideológicas que sulcaram a mente com nocivas noções sobre o que seja a renovação espiritual, vamos encontrar o terrível vício de santificação, resultante das ideias de angelitude instantânea, guiando a criatura para condutas puritanas das quais não faziam parte os seus sentimentos, uma idealização do que seja ser cristão.

"Associamos, assim, à tarefa da santificação pessoal, nos dias atuais, a ideia de uma vida sem infortúnios, como se santificar fosse mais uma fórmula de baixo custo para nos livrar da dor, um modo fácil de alcançar o reino dos céus. Fazemos tudo certinho e Deus nos recompensa com a felicidade. Fazemos negócios com Deus.

"A negação das necessidades íntimas a título de santificação leva a uma ruptura nem sempre bem conduzida por parte de quantos anseiam por novos ideais de espiritualização. Essa ruptura, no entanto, precisa ser feita passo a passo para não gerar maiores lutas.

"O nível de exigência excessivo com a melhora interior pode gerar muitas perturbações. Confundimos elevada soma de cobranças com esforço efetivo de transformação. A cobrança gera angústia e somente o esforço sereno leva à libertação.

"Muitas ilusões e preconceitos cercam o processo da reforma íntima. Alguns deles são: a ideia de saltos evolutivos com mudanças abruptas, a presunção de que somente o Espiritismo pode propiciar a melhoria do homem, a concepção de que estar na tarefa doutrinária seja automaticamente um indício de conquista virtuosa, a falsa concepção de que existem partes de nós que não podem ser aproveitadas e precisam ser eliminadas ou substituídas por algo nobre, a prisão a modelos mentais de ação como critério de validação de crescimento espiritual.

"Poderíamos assinalar que vivemos em maior ou menor influência sob um milenar arquétipo de santificação. A própria Lei do Progresso acende a chama do desejo de ser melhor, no entanto, nossos condicionamentos morais assopram vigorosamente sobre o campo do discernimento, criando miragens e perturbações sem fim.

"Nosso apelo a todos os que aqui se encontram, perante a postura da responsabilidade de serem influentes líderes da comunidade doutrinária, é a de que debrucem sobre o tema pouco devassado da conquista de si mesmos e nos auxiliem a estender um programa de moralização dos conceitos espíritas, promovendo a casa espírita ao ideário de ser uma autêntica escola do espírito. A reforma íntima, tão decantada, não tem sido devidamente explicada!

"Que fique clara nossa intenção. O Espiritismo em si, enquanto teoria, é moralizador. No entanto, quantos lhe aderem aos princípios suplicam clareza nos rumos para que edifiquem na intimidade a personalidade nova, já almejada pela maioria dos que se encontram atraídos para as propostas espiritistas. Como mudar? Como fazer? Como ser um Homem de Bem? Eis as nossas questões.

"Jesus nos ampare nesses tempos novos de renovação e pacificação da humanidade. Lutemos todos com todas as forças para atender ao apelo sábio de Emmanuel, quando diz: 'Expulsai da Terra o egoísmo para que ela possa subir na escala dos mundos, porquanto já é tempo de a Humanidade envergar sua veste viril, para o que cumpre que primeiramente o expilais dos vossos corações.'"

Após os cumprimentos finais, vimos que extensa fila de co-operadores formava um corredor indicando por onde regressariam os que estavam emancipados do corpo. Devido à condição de semitorpor, não ofereciam condições favoráveis ao diálogo, a não ser um ou outro que já demonstrava melhor habilidade nas incursões noturnas fora da vida corporal. Desfeita rapidamente aquela aglomeração, cada um retornava a seus afazeres. Rosângela, Sérgio e Pedro Helvécio, jovens com os quais sempre contávamos nas atividades do Hospital Esperança, solicitaram-nos alguns momentos de prosa com dona Modesta. Para nossa surpresa, quando percebemos, ela própria espontaneamente deslocava-se da mesa onde se encontrava em nossa direção, a nos dizer:

— Teremos alcançado nossos nobres objetivos, Ermance?

— Creio que sim, dona Modesta. O ambiente estava apropriado e, no que pude avaliar, as disposições psicológicas de nossos irmãos com a transposição do milênio, de alguma forma, infundiam-lhes um ânimo especial para que arquivem desejavelmente a mensagem em seus corações. Precisaremos de tempo para aferir com exatidão as promessas deste momento, aguardemos. No entanto, dona Modesta, nossos jovens, como de costume, ficaram muito motivados e querem experimentar sua vivência com algumas indagações.

— Estou à disposição.

Com sua natural curiosidade, Rosângela foi a primeira a interrogar:

— Notei certa inquietude entre os participantes nesse "estado de graça" fora da matéria. Em alguns casos, era visível o desagrado com algumas falas do professor Cícero. Como pode isso ocorrer entre os "mil escolhidos pelo Senhor" para ouvir essa preleção? Não deveriam estar alegres e demonstrando mais satisfação com a ocasião em razão da grandeza que possuem como líderes religiosos?

Ela ainda externava suas questões tomando por base a recém-finda experiência reencarnatória nas fileiras do Protestantismo. Suas expressões ainda deixavam claras suas visões evangélicas. Seu desejo de aprender, no entanto, era enorme.

— Rosângela, minha jovem, não são "escolhidos do Senhor" nem estão em "estado de graça". São almas que lutam tenazmente com suas tendências. De fato, não deveriam estagiar ainda nesse psiquismo de desagrado quando ouviram as claras advertências do professor. Todavia, essas criaturas que aqui foram trazidas são os mil líderes espíritas encarnados que mais padecem de um terrível mal, o qual assola a maioria das fileiras de serviço do Cristo nas expressões religiosas de todos os tempos.

— E que mal é esse, dona Modesta? – atalhou Rosangela, ansiosa.

— A doença da autossuficiência espiritual ou o fascínio com a importância grandiosa que muitos corações supõem possuir nos serviços de Jesus. Os amigos espíritas, especialmente os mais experimentados na arte de liderar, precisam vigiar com muita cautela o encanto que têm devotado a suas *folhas de serviço*. Bastas vezes confundem quantidade de tarefas e realizações com ascensão evolutiva, como se fizessem carreira nos ofícios de sua espiritualização. Ocorre que muitos corações de ideal, em todas as atividades doutrinárias, têm passado pelas tarefas sem se educar por meio delas, e quanto mais expressivas elas são, mais aumentam os riscos de vaidade e ilusão. Temos por aqui vastos pavilhões de médiuns, divulgadores, escritores, evangelizadores da juventude, presidentes de centros espíritas, dispensadores da caridade pública, todos abençoados com as luzes da Doutrina Espírita, entretanto, sem conquistarem sua luz própria. Sufocaram-se no orgulho com a cultura e a experiência doutrinária e negligenciaram o engrandecimento moral de si mesmos pela reeducação dos hábitos e da aquisição de virtudes eternas. É um engano milenar da ilusão humana, ainda afeiçoada a vantagens exteriores sem a consolidação dos ensinos Cristãos no próprio coração. Como disse o Senhor: "O Reino de Deus não vem com aparência exterior".[46]

---
46 Lucas, 17:20.

Sérgio, não contendo seu desejo de aprender e participar, externou:

— Dona Modesta, qual a principal imperfeição desses líderes que estaria redundando em problemas para os ofícios da seara?

— São excessivamente controladores por julgarem enxergar mais. Carregam consigo uma das mais antigas mazelas humanas: o desejo de serem servidos – uma faceta emocional sutil do desejo de serem amados ou da necessidade de serem queridos e aprovados pelos outros, a qual termina por ser transferida para o costume de serem bajulados e incensados pelos que os rodeiam. Esse velho monstro da alma surge sorrateiramente como um hábito doentio de ordenar e comandar pessoas, já experimentado em muitas e muitas vidas sucessivas, uma forma de satisfação do egoísmo humano. Considerando o vício de prestígio que carregam esses corações, são intensamente atraídos para posturas de destaque. Adoram os cargos e o poder e, embora possamos encontrá-los também distantes dos títulos, estes são por eles possuídos no campo psicológico. São criaturas que realizam muito e têm significativa visão de conjunto das necessidades do movimento social em torno das ideias espíritas, apenas pecando pelo orgulho em que se inspiram por suporem possuir todas as respostas e caminhos para todas as necessidades e percalços da seara. Isso os torna úteis em certas situações e extremamente rejeitados pela arrogância em outras, quando excedem na atitude com sua suposta sapiência e grandeza. Verdadeiramente, nossos irmãos que aqui estiveram guardam conquistas apreciáveis, porém, nem sempre conseguem deixar de se enganar pelo personalismo que ainda carregam. Uma vez nessa postura, fica fácil reconhecer-lhes as imperfeições prejudiciais ao serviço da obra cristã, porque não ouvem opiniões por julgarem ter as melhores, guardam convicções pessoais exacerbadas, não dão atenção às críticas, quase sempre decidem sozinhos, tornam-se pouco afetivos, muito racionais e adoram mandar sem fazer, ordenar sem cumprir. O conjunto dessas características os promove a uma das condições mais inaceitáveis na atualidade para qualquer grupamento que se proponha a crescer espiritualmente: o autoritarismo.

— Mas, Dona Modesta – continuou indagando Sérgio –, o que lhes tem faltado para agirem com essa atitude de supremacia?

— Visão imortalista, meu filho. Lembro-me como fosse hoje que, quando encarnada, o Espiritismo prático ou a mediunidade espontânea era de uma riqueza incomparável, conduzindo os homens a uma visão da vida afinada com a ética da imortalidade. Hoje, há uma priorização do assistencialismo e da preservação filosófica, na qual a grande maioria dos núcleos distanciou-se das vivências de intercâmbio sadias e educativas nos horizontes da mediunidade santificada. Falta-lhes o Espiritismo com espíritos, na expressão de Yvonne do Amaral Pereira. O exercício mediúnico sério tem sido escasso nas casas do Espiritismo, e o que prepondera é o consolo nas sessões de intercâmbio. Embora com seus méritos, a transcendência da faculdade que liga os mundos não tem se convertido em chances para que os benfeitores do além possam transmitir sua experiência e participar com mais assiduidade das vivências dos homens. Não foram poucas as vezes que Bezerra de Menezes teve de contar com Centros de Umbanda e Candomblé, nos quais se encontram muitos corações afeiçoados ao amor, para fazer seus ditados ou operar suas curas. Lá, a espontaneidade e o desejo de servir muitas vezes sobressaem como qualidades indiscutíveis em relação a muitos centros doutrinários do Espiritismo, os quais têm fechado as portas mentais para o trânsito dos bons espíritos. Tem havido um engessamento voluntário do exercício mediúnico, surgido a partir da tese animista, em meados do século passado. Sem visão de vida imortal, acomodam-se e deixam de descobrir horizontes novos. Estacionam na paralisia do pensamento em conceitos e não se permitem reciclar práticas. Muitos, além disso, infelizmente, perderam o gosto de aprender, esbaldando-se em seu *histórico de serviços*, sem apresentar algo de útil para os reclames do momento atual.

Pedro Helvécio, sempre muito paciente, vendo o rumo da conversação, perguntou com sabedoria:

— Que objetiva a tarefa desta noite, em que foram trazidos para ouvir essa linha de raciocínio sobre a reforma íntima?

— Em fazerem uma autoavaliação. Notem que o professor não lhes chamou a atenção diretamente em nada, porque senão regressariam ao corpo imediatamente com forte indisposição emocional. Nesse caso, ao recobrarem a lucidez física, alegariam que estiveram em tarefas de auxílio nas regiões inferiores. O professor, com os cuidados que exigiam o momento, tangenciou os problemas morais de nossos irmãos conclamando-os ao tratamento. Não destacou suas doenças, e sim o remédio. Ao convocá-los a um projeto de humanização, concede-lhes a chave dos seus problemas porque terão de se igualar, terão de se fazer gente comum e despir-se da aura de santidade que tanto lhes apraz. Os líderes espíritas, quase sem exceções, asilam enorme sentimento de ser úteis à causa, mas se tornaram, como é natural acontecer em nosso estágio evolutivo, vítimas de si mesmos na medida em que usaram sua habilidade de gerir para interferir. Fazem uma liderança a gosto pessoal, e não conforme os imperativos do Evangelho e da pedagogia moderna...

— Quais são as chances de sucesso da iniciativa de trazê-los aqui?

— Apesar do êxito deste momento, Helvécio, as chances de que nossos irmãos aproveitem a ocasião tanto quanto necessitam são muito reduzidas. Eles perderam o gosto de ouvir, adoram mesmo é falar muito. Seus ouvidos não estão conforme a assertiva evangélica, *ouvidos de ouvir*[47]. Muitos, em suas crises de autossuficiência, em verdade, zombam, inconscientemente, da inexperiência alheia expedindo prognósticos e avaliações sem considerar o valor que possuem para a tarefa do Cristo. Quando alguns tomam caminhos diversos dos seus, fazem previsões futuristas pessimistas para os outros e chegam, em alguns casos, a dizer que perderão até a reencarnação caso façam isso ou aquilo. São apaixonados pela ideia de ser os proprietários da Verdade, até mesmo do que virá a acontecer, apoiando-se, frequentemente, em teorias e produções mediúnicas de valores duvidosos ou interpretadas por suas leituras tendenciosas e bem pessoais.

— Dona Modesta – interveio Helvécio – observei em sua resposta à Rosângela que esses mil dirigentes são os que mais sofrem desse mal. Seria certo deduzir, portanto, que a seara doutrinária tem sido atacada por essa doença moral?

— Certamente, meu jovem. Independentemente das iniciativas coletivas como a dessa noite, os esforços se multiplicam no campo individual com cada trabalhador. Uma cultura de grandeza tem estimulado esse drama ético entre os coidealistas no plano físico. Grande distância medeia entre possuir uma grande missão e ser um grande missionário. De fato, quantos foram iluminados com a Doutrina Espírita e são como a luz do mundo, contudo,

---
[47] Mateus, 11:15.

temos de ser honestos e considerar que boa parcela dos irmãos tem sucumbido aos golpes sutis do orgulho, julgando-se bem mais valorosos que realmente são para os ofícios da causa. Descuidaram de se converter a crianças em espírito. A criança é curiosa, nunca se imagina além do que é, reveste-se de simplicidade, sem pretensões pessoais de ser a melhor, tem a alma aberta para o novo e a mente livre do que já passou e do que ainda virá, vivendo intensamente o momento presente. Não somente esses mil, mas uma infinidade de homens e mulheres da direção nos centros espiritistas se encontram nas garras da autossuficiência, fascinados por seus feitos e com sua bagagem, nutrindo pouca disposição para ser avaliados e criticados em suas ideias e ações. Gostam mesmo é de ser admirados e aprovados sem restrições, sendo que alguns adoram impressionar.

Percebendo a fala oportuna, lembrei-me das tarefas intercessoras que temos participado em companhia de dona Modesta e Eurípedes juntamente à crosta e resolvi sugerir:

— Dona Modesta, poderia nos trazer algo sobre as obsessões nesse terreno?

— Sim, Ermance, bem lembrado! Quando a postura de nossos companheiros raia para esses despropósitos da conduta, os adversários do bem se aproveitam a largamente. Muitos e graves episódios de fascinação coletiva rondam a seara Espírita em razão desse lamentável quadro de personalismo e vaidade. Por essa razão, nosso Senhor Jesus Cristo colocou uma criança no meio dos discípulos e disse: "...se não vos converterdes e não vos fizerdes como meninos, de modo algum entrareis no reino dos céus.".[48] O resto da história vocês já conhecem, basta olhar os pavilhões do Hospital

---
[48] Mateus, 18:3.

Esperança, lotados de dirigentes que não souberam se diminuir para que o Cristo crescesse.[49] Ajudaram muitos a se renovar, mas não cuidaram tanto quanto careciam da mudança interior de si mesmos. Lembram-se do episódio da mulher adúltera, quando Jesus pediu para atirar a pedra? Quem foi que saiu primeiro?

— Os mais velhos – respondeu de pronto Rosângela, pois tinha os versículos na ponta da língua.

— Os mais velhos saíram primeiro porque traziam mais condicionamentos e menos disposição de rasgar suas folhas de serviço perante a vida. Será preciso muita humildade dos líderes cristãos para que assumam o importante papel que lhes compete nas tarefas da Doutrina. Precisarão de muita coragem para se desapegar do que sabem, não envelhecer com suas ideias, ter a habilidade para deixar de ser repetitivos e aprender como se recicla sem se sentir desmoralizados ou menos amados. Muitos deles, para manter as aparências, abandonaram a capacidade de sentir a alegria e de ser simpáticos, tornando-se estereótipos de rigidez, com a qual pretendem ser imponentes e expressar ideias de sábios e homens da autoridade, essa é a doença da autossuficiência espiritual.

Helvécio, desejoso de dar novo rumo ao diálogo, inferiu:

— Apesar das lutas morais, nossos irmãos são valorosos na semeadura do Cristo!

Atalhou dona Modesta, incontinenti:

— Os esforços dessa hora só se justificam por essa razão. Eles são depositários de expectativas alvissareiras de Mais Alto. São corações que merecem o refrigério da misericórdia em

---
[49] João, 3:30.

face do calor das refregas que enfrentam. Ao destacar seus traços enfermiços, o fazemos com unção e desejo de amparar. O Espiritismo penetra seu terceiro ciclo de setenta anos, no qual se concretizará a maioridade das ideias espíritas.[50] Nossos companheiros, se souberem se adequar, serão excelentes operários de um tempo novo. Uma geração nova regressa às fileiras carnais da humanidade para arejar o panorama de todas as expressões segmentares do orbe, interligando-as e projetando-as a ampliados patamares de utilidade. O movimento espírita não ficará fora desse contexto, sendo bafejado por um processo de atualização de metodologias, comportamentos, práticas e conceitos, o que ensejará uma cultura cujos traços serão o pluralismo e a lógica. Apesar desses avanços, o livre exame e o raciocínio científico que consolidam essas características só terão valor quando se destinarem a criar o humanismo e a ética, o afeto e o bem-estar. É tempo de renovar. Os Decretos Celestes são tufões de purificação que esterilizam todos os rincões da Terra. O fogo renovador dos Embaixadores do Bem está ajuntando o joio em molhos para queimar. As almas que cristalizarem o pensamento nos redutos do preconceito ou do dogmatismo enfrentarão sofrida crise de impotência, amargando o vexame e o desânimo. É por amor aos nossos líderes espíritas que aqui os trouxemos. Mais que nunca precisarão sedimentar em seus atos a tolerância construtiva, visão futurista, empatia com o próximo e desapego de suas realizações pessoais – quesitos essenciais para formarem o clima do diálogo e do entendimento com alteridade, as únicas vias de acesso ao paradigma do século 21, que estabelece a parceria solidária e pacífica como alvo de todas as aspirações sociais e humanitárias. Se eles se rebelarem e se fixarem na condição de apaixo-

---

50 Seara Bendita, Diversos Espíritos, Maria José C. S. Oliveira e Wanderley S. Oliveira, Introdução, "Atitude de Amor", Editora Dufaux.

nados por suas obras, experimentarão a falência e a angústia quando aqui aportarem. Mesmo que tenham realizado muito, talvez não terão edificado os valores essenciais para a garantia da paz consciencial no altar divino dos sentimentos elevados. Se os avisamos agora, é para que não se queixem depois.

Finda a conversa, saímos todos pensativos sobre a urgente necessidade da campanha pela humanização de nossa seara. Mais que um projeto de serviço moderno, é um convite para a retomada de posições e reciclagem da cultura. Que a humanização nos auxilie a estar acima dos papéis de heroísmo espiritual, permitindo-nos ser gente, gostar de gente e viver como humanos falíveis sem neuroses de perfeição, sempre dispostos a crescer.

Fizemos todos os registros pensando em enviá-los ao plano físico algum dia. Tornava-se imperioso informar ao mundo físico algo sobre a natureza das provas enfrentadas pelos dirigentes, os quais subtraíram de si mesmos a bênção de dirigir afinados com a Mensagem do Cristo.

Muito desapego e coragem serão exigidos de todos nós para que deixemos as fantasias da autossuficiência que nos fazem sentir um pouco melhores diante de nossa inferioridade, e assumirmos, enquanto é tempo, a condição psicológica prenunciada há mais de dois mil anos pelo Mestre do amor, quando assinalou:

"Mas não sereis vós assim; antes o maior entre vós seja como o menor; e quem governa como quem serve."[51]

---
51 Lucas, 22:26.

Epílogo

Em que ponto da evolução nos encontramos?

"Segundo a ideia falsíssima de que lhe não é possível reformar a sua própria natureza, o homem se julga dispensado de empregar esforços para se corrigir dos defeitos em que de boa vontade se compraz, ou que exigiriam muita perseverança para serem extirpados."

O Evangelho Segundo o Espiritismo
Capítulo 9 - item 10

O Espiritismo é a Resposta do Alto em favor da humanidade desnorteada. Esclarece de onde viemos, para onde vamos e o que fazemos quando na vida terrena. Sem dúvida, Doutrina Espírita é o facho de luz que faltava aos raciocínios do homem materialista. Contudo, a sua clareza meridiana, para inúmeros adeptos, não ultrapassa a condição de princípios universais com pouca utilidade no encontro das respostas a tais questões, quando focadas no terreno da individualidade.

O que significa, na intimidade da alma, cada uma dessas indagações acima mencionadas? Pergunte a um aprendiz espírita de larga vivência doutrinária se tem noções claras sobre a origem de sua reencarnação; indague-se, de outros, se conhecem os objetivos essenciais de suas metas reencarnatórias, ou ainda consulte-os sobre o que esperam para si mesmos depois do desencarne! Quase sempre ouviremos respostas evasivas, próprias da infância espiritual que ainda assinala nossa caminhada rumo à maturidade.

De onde viemos, para onde vamos e a razão da vida no corpo quase sempre são apenas informações sem aprofundamento. Nem sempre conhecer os fundamentos filosóficos significa conscientização. Temos noções de espiritualidade, compete-nos agora construir o caminho pessoal de espiritualização, proceder a aquisição das vivências singulares, únicas e incomparáveis, estritamente individuais, a que somos chamados na linha do crescimento e da ascensão. Conhecemos as bases filosóficas, falta-nos saber filosofar, aprender a pensar, tornarmo-nos agentes transformadores de nossa história, isso é educação.

Discípulos sem conta, tomados de ilusão e personalismo, acreditam ser depositários de virtude e grandeza tão somente em razão de possuírem alguns "chavões espíritas" para todas as questões que tangenciam os problemas humanos. Utilizando-se da reencarnação, da mediunidade e de todo o conjunto de fundamentos filosóficos, postam-se como decifradores circunstanciais de enigmas da vida alheia, entretanto, nem para si mesmos possuem suficiente esclarecimento na edificação da paz interior. Não se aprofundam nos dramas íntimos que carregam em si mesmos, sendo constrangidos, em inúmeras ocasiões, a desconfortável encontro com sua sombra, quando, então, são compelidos pela dor e pela frustração, diante do labirinto de seus problemas, a pensar e repensar suas lutas, aprofundando a sonda da razão nas causas ignoradas de suas reações e atitudes, pensamentos e emoções.

Renovação é trabalho lento e progressivo, muito embora avançado número de aprendizes espíritas assaltados por ilusões esteja favorecendo a morosidade ou o estacionamento em desfavor de si mesmos. Muitas crenças desprovidas de bom-senso e vigilância, nascidas de raciocínios confusos, têm servido de obstáculo ao serviço transformador nas sendas doutrinárias. Uns querem caminhar mais rápido do que podem, outros desacreditam que podem superar a si mesmos. Esses últimos, porém, os que deixaram de acreditar em si mesmos, são aqueles que Hahnemann situa em sua fala: "Segundo a ideia falsíssima de que lhe não é possível reformar sua própria natureza, o homem se julga dispensado de empregar esforços para se corrigir dos defeitos em que de boa vontade se compraz, ou que exigiriam muita perseverança para serem extirpados."

Crenças enfermiças têm tomado conta da vida mental de muitas criaturas que se permitem acreditar não ser capazes de vencer a si mesmas. É assim que ouvimos, com frequência, algumas expressões de derrotismo que traduzem a desesperança de muitos corações que, em tese, já decidiram por servir a dois senhores[52], conforme a prédica evangélica. Frases como: "Estou cansado da vida, não posso mais caminhar, preciso de um tempo!", "Não possuo qualidades suficientes para operar minha renovação!", "Quem sou eu para chegar a esse ponto de evolução!", "Não dou

---
52 O Evangelho Segundo o Espiritismo – Capítulo 16.

conta dessas propostas, são muito exigentes!", e outras tantas falas semelhantes que desfilam nas passarelas do desculpismo são os sinais evidentes daqueles que optaram ou estão prestes a optar pelos caminhos largos da vida, renunciando à batalha pela conquista da porta estreita das escolhas vitoriosas.

Decerto, a nenhum de nós será pedido mais do que pudermos dar. Todavia, muita acomodação e descuido tem acontecido nas fileiras educativas do Espiritismo, tão somente porque os discípulos não têm se armado de suficiente humildade para reconhecer consigo mesmos a natureza e a extensão de suas imperfeições. Muitos, apesar do conhecimento, têm preferido os leitos confortáveis da ilusão, acreditando-se melhores do que realmente são. Sob o fascínio do orgulho, sentem vergonha, medo de se expor e profunda tristeza por se verem a braços com mazelas que já gostariam de ter superado, mas que ainda muito lhes agrada. E é nesse clima de profundo desconforto consciencial que a alma evolve. Premido pela tristeza das atitudes das quais já gostaria de se ver livre é que nasce o impulso para a transformação e o progresso. Contudo, é aqui também que muitos têm se entregado e desistido ante os apelos quase irresistíveis da atração para a queda.

Imprescindível elastecer noções sobre o estágio em que nos encontramos, para administrar com mais sabedoria e equilíbrio o conflito que se instala em nosso íntimo entre o que devemos fazer, o que queremos fazer e o que podemos fazer. Posições extremistas têm instaurado dores desnecessárias. Há homens e mulheres espíritas com antigos instintos animalescos que querem ser anjos do dia para a noite, nos campos de sua espiritualização. Outros, por sua vez, são detentores de larga soma de conquistas, entretanto julgam-se incapacitados, aprisionados a avaliações negativistas que os fazem se sentir vermes rastejantes nas fileiras da vida. O resultado inevitável dessas visões distorcidas é o martírio. Ampliemos, portanto, o raio de entendimento sobre o estágio em que nos encontramos. Para se chegar a algum lugar melhor, alcançar alguma meta maior, torna-se imperioso conscientizar-se sobre onde nos encontramos na evolução. Sem saber onde estamos, caminharemos para lugar nenhum.

Levamos milhões de anos vividos na irracionalidade até alcançarmos a hominalidade. Como hominais, avançamos na arte de pensar, mas nem por isso será justo, no conceito cósmico, dizermo-nos civilizados, conforme nos asseveram os Nobres Guias: "...não tereis verdadeiramente o direito de dizer-vos civilizados senão quando de vossa sociedade houverdes banido os vícios que a desonram e quando viverdes como irmãos, praticando a caridade cristã. Até então, sereis apenas povos esclarecidos, que hão percorrido a primeira fase da civilização."[53]

A esse respeito, o senhor Allan Kardec interrogou a Sabedoria dos Imortais:

"Uma vez no período da humanidade, conserva o Espírito traços do que era precedentemente, quer dizer: do estado em que se achava no período a que se poderia chamar ante-humano?"

"Conforme a distância que medeie entre os dois períodos e o progresso realizado. Durante algumas gerações, pode ele conservar vestígios mais ou menos pronunciados do estado primitivo, porquanto nada se opera na Natureza por brusca transição. Há sempre anéis que ligam as extremidades da cadeia dos seres e dos acontecimentos. Aqueles vestígios, porém, se apagam com o desenvolvimento do livre arbítrio. Os primeiros progressos só muito lentamente se efetuam, porque ainda não têm a secundá-los a vontade. Vão em progressão mais rápida, à medida que o Espírito adquire perfeita consciência de si mesmo."[54]

Na questão em epígrafe consta: "Os primeiros progressos só muito lentamente se efetuam, porque ainda não têm a secundá-los a vontade. Vão em progressão mais rápida, à medida que o Espírito adquire perfeita consciência de si mesmo". Imprescindível ao nosso

---
53 O Livro dos Espíritos – Questão 793.
54 O Livro dos Espíritos – Questão 609.

aperfeiçoamento moral será saber em que estágio nos situamos, a fim de não tropeçarmos em velhas ilusões de grandeza. Em verdade, apenas iniciamos o serviço de autoaprimoramento. O trajeto das poucas conquistas que amealhamos foi realizado, preponderantemente, na horizontalidade dos valores cognitivos. Somente agora damos os primeiros passos para a verticalização em direção às habilidades da consciência de nós mesmos no terreno dos sentimentos. Precisamos constatar que nada mais somos, por enquanto, que criaturas que ensaiam os primeiros passos para sair do primitivismo moral rumo à humanização ou hominização integral.

Apesar de já peregrinarmos há milênios no reino hominal, ainda não nos fizemos legítimos proprietários da Herança Paternal a nós confiada. Não será impróprio dizer que somos "meio humanizados".

Contudo, apesar dessa radiografia de nosso estágio evolutivo, existe muita vertigem provocada pelo orgulho em razão de nossa pouca competência em nos autoavaliar. Dentre elas, como aquela que se pode assinalar como sendo acentuadamente prejudicial aos ideais de transformação interior, vamos encontrar o desejo infantil, que acompanha muitos, de tomar de assalto a angelitude instantânea.

Pois se mal deflagramos o labor de assumir a condição hominal, como agir como anjos?

Entre a angelitude e a hominalidade existe a semeadura fértil da humanização. Carecemos, primeiramente, nos consolidar como seres humanizados e descortinar todas as conquistas próprias dessa etapa para, então, posteriormente, galgar novos patamares, naturalmente.

Desejando santificação, muitos aprendizes da Nova Revelação descuidam de pequenas lições educativas da ascensão passo a passo, vivendo uma reforma idealizada e não sentida. Como conceber almas educadas na mensagem da Boa Nova Espírita, pois, algumas vezes, a criatura afeiçoada às lições doutrinárias não é capaz de utilizar com responsabilidade e correção um banheiro higiênico no próprio lar?

O melhor e mais ajustado sentido para o trabalho interior de melhoria pode ser compreendido como a conquista da consciência de si mesmo, a aquisição do patrimônio da divindade que dormita no imo de nós próprios desde os primórdios da criação. Menos do que vencer as sombras interiores, o desafio da reforma espiritual requer a capacidade de criar o bem em nós pela fixação dos valores novos. Mais que evitar o mal, é necessário saber desenvolver habilidades eternas.

Reforma íntima é o serviço gradativo da instauração das virtudes celestes, a aquisição da consciência desse tesouro, o qual todos somos convocados a tomar posse perante a lei natural do progresso.

O mal será transformado em bem por seus opostos. O medo será renovado aprendendo a exercer coragem, a inveja sofrerá mutação pelo exercício da abnegação, a avareza será metamorfoseada à medida que nos habilitarmos ao exercício do desprendimento, a irritação será convertida pela aquisição da serenidade.

Evitemos conceber mudança interior sob enfoque restrito de repressão. Medo contido pode ser trauma para o futuro; inveja reprimida pode salientar-se como frustração somatizada; avareza apenas dominada pode caminhar para o desânimo; irritação somente controlada pode caminhar para a raiva.

Contenção é disciplina. Aquisição de novas qualidades é educação.

Disciplina é meio, educação é a grande meta.

Estamos aprendendo a descobrir nossas sombras, essa é uma etapa do processo. Convém-nos, portanto, laborar pela outra etapa, não menos importante: a de aprender a fazer luz e construir a harmonia interior – eis um bom motivo para nos livrarmos do martírio.

Ficha Técnica

Título
Reforma Íntima sem Martírio: autotransformação com leveza e esperança

Autoria
Espírito Ermance Dufaux
Psicografia de Wanderley Oliveira

Edição
3ª

ISBN
978-85-63365-12-5

Capa
Wanderley Oliveira
Tuane Silva

Projeto gráfico
Tuane Silva

Diagramação
Priscilla Andrade

Revisão da diagramação
Nilma Helena

Revisão Ortográfica
Mary Ferrarini

Coordenação e preparação de originais
Maria José da Costa

Composição
Adobe Indesign CS6 (plataforma Windows)

Páginas
295

Tamanho do miolo
16x 23 cm
Capa 16x23

Tipografia
Texto principal: Cambria 12pt
Título: Papyrus 30pt
Notas de rodapé: Cambria 6pt

Margens
22mm: 25mm: 25mm: 22mm (superior:inferior:interna: externa)

Cores
Miolo 1x1 cores
Capa em 4x0 cores CMYK

Papel
Miolo Pólen 80g/m2
Capa Duo Design 250g/m2

Impressão
Gráfica Formato (Belo Horizonte/MG)

Acabamento
Miolo:Brochura, cadernos de 32 páginas, costurados e colados.
Capa: Laminação Fosca

Tiragem
2.000

Produção
Agosto/2022

NOSSAS PUBLICAÇÕES

SÉRIE REFLEXÕES DIÁRIAS

PARA SENTIR DEUS

Nos momentos atuais da humanidade sentimos extrema necessidade da presença de Deus. Ermance Dufaux resgata, para cada um, múltiplas formas de contato com Ele, de como senti-Lo em nossas vidas, nas circunstâncias que nos cercam e nos semelhantes que dividem conosco a jornada reencarnatória. Ver, ouvir e sentir Deus em tudo e em todos.

Wanderley Oliveira | Ermance Dufaux
11 x 15,5 cm | 133 páginas

Somente ebook

LIÇÕES PARA O AUTOAMOR

Mensagens de estímulo na conquista do perdão, da aceitação e do amor a si mesmo. Um convite à maravilhosa jornada do autoconhecimento que nos conduzirá a tomar posse de nossa herança divina.

Wanderley Oliveira | Ermance Dufaux
11 x 15,5 cm | 128 páginas

Somente ebook

RECEITAS PARA A ALMA

Mensagens de conforto e esperança, com pequenos lembretes sobre a aplicação do Evangelho para o dia a dia. Um conjunto de propostas que se constituem em verdadeiros remédios para nossas almas.

Wanderley Oliveira | Ermance Dufaux
11 x 15,5 cm | 146 páginas

Somente ebook

SÉRIE CULTO NO LAR

VIBRAÇÕES DE PAZ EM FAMÍLIA

Quando a família se reune para orar, ou mesmo um de seus componetes, o ambiente do lar melhora muito. As preces são emissões poderosas de energia que promovem a iluminação interior. A oração em família traz paz e fortalece, protege e ampara a cada um que se prepara para a jornada terrena rumo à superação de todos os desafios.

Wanderley Oliveira | Ermance Dufaux
16 x 23 cm | 212 páginas

ebook

JESUS - A INSPIRAÇÃO DAS RELAÇÕES LUMINOSAS

Após o sucesso de "Emoções que curam", o espírito Ermance Dufaux retorna com um novo livro baseado nos ensinamentos do Cristo, destacando que o autoamor é a garantia mais sólida para a construção de relacionamentos luminosos.

Wanderley Oliveira | Ermance Dufaux
16 x 23 cm | 304 páginas

ebook

REGENERAÇÃO - EM HARMONIA COM O PAI

Nos dias em que a Terra passa por transformações fundamentais, ampliando suas condições na direção de se tornar um mundo regenerado, é necessário desenvolvermos uma harmonia inabalável para aproveitar as lições que esses dias nos proporcionam por meio das nossas decisões e das nossas escolhas, [...].

Samuel Gomes | Diversos Espíritos
14 x 21 cm | 223 páginas

ebook

AMOROSIDADE - A CURA DA FERIDA DO ABANDONO

Uma das mais conhecidas prisões emocionais na atualidade é a dor do abandono, a sensação de desamparo. Essa lesão na alma responde por larga soma de aflições em todos os continentes do mundo. Não há quem não esteja carente de ser protegido e acolhido, amado e incentivado nas lutas de cada dia.

Wanderley Oliveira | Ermance Dufaux
16 x 23 cm | 300 páginas

ebook

TRILOGIA DESAFIOS DA CONVIVÊNCIA

QUEM SABE PODE MUITO. QUEM AMA PODE MAIS

A lição central desta obra é mostrar que o conhecimento nem sempre é suficiente para garantir a presença do amor nas relações. "Estar informado é a primeira etapa. Ser transformado é a etapa da maioridade." - Eurípedes Barsanulfo.

Wanderley Oliveira | José Mário
16 x 23 cm | 312 páginas

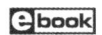

ebook

QUEM PERDOA LIBERTA - ROMPER OS FIOS DA MÁGOA ATRAVÉS DA MISERICÓRDIA

Continuação do livro "QUEM SABE PODE MUITO. QUEM AMA PODE MAIS" dando sequência à trilogia "Desafios da Convivência".

Wanderley Oliveira | José Mário
16 x 23 cm | 320 páginas

`ebook`

SERVIDORES DA LUZ NA TRANSIÇÃO PLANETÁRIA

Nesta obra recebemos o convite para nos integrar nas fileiras dos Servidores da Luz, atuando de forma consciente diante dos desafios da transição planetária. Brilhante fechamento da trilogia.

Wanderley Oliveira | José Mário
14x21 cm | 298 páginas

`ebook`

SÉRIE HARMONIA INTERIOR

LAÇOS DE AFETO - CAMINHOS DO AMOR NA CONVIVÊNCIA

Uma abordagem sobre a importância do afeto em nossos relacionamentos para o crescimento espiritual. São textos baseados no dia a dia de nossas experiências. Um estímulo ao aprendizado mais proveitoso e harmonioso na convivência humana.

Wanderley Oliveira | Ermance Dufaux
16 x 23 cm | 312 páginas

`ebook` `ESPANHOL`

MEREÇA SER FELIZ - SUPERANDO AS ILUSÕES DO ORGULHO

Um estudo psicológico sobre o orgulho e sua influência em nossa caminhada espiritual. Ermance Dufaux considera essa doença moral como um dos mais fortes obstáculos à nossa felicidade, porque nos leva à ilusão.

Wanderley Oliveira | Ermance Dufaux
16 x 23 cm | 296 páginas

`ebook` `ESPANHOL`

TERAPIAS DO ESPÍRITO

Integra saberes espirituais e terapias integrais em uma abordagem inovadora que promove o autoconhecimento, o reequilíbrio energético e a cura integral do Ser.

Dalton Eloy | 16 x 23 cm | 290 páginas

ebook | ESPANHOL

REFORMA ÍNTIMA SEM MARTÍRIO - AUTOTRANSFORMAÇÃO COM LEVEZA E ESPERANÇA

As ações em favor do aperfeiçoamento espiritual dependem de uma relação pacífica com nossas imperfeições. Como gerenciar a vida íntima sem adicionar o sofrimento e sem entrar em conflito consigo mesmo?

Wanderley Oliveira | Ermance Dufaux
16 x 23 cm | 288 páginas

ebook | ESPANHOL | INGLÊS

ESCUTANDO SENTIMENTOS - A ATITUDE DE AMAR-NOS COMO MERECEMOS

Ermance afirma que temos dado passos importantes no amor ao próximo, mas nem sempre sabemos como cuidar de nós, tratando-nos com culpas, medos e outros sentimentos que não colaboram para nossa felicidade.

Wanderley Oliveira | Ermance Dufaux
16 x 23 cm | 256 páginas

ebook | ESPANHOL

PRAZER DE VIVER - CONQUISTA DE QUEM CULTIVA A FÉ E A ESPERANÇA

Neste livro, Ermance Dufaux, com seus ensinos, nos auxilia a pensar caminhos para alcançar nossas metas existenciais, a fim de que as nossas reencarnações sejam melhor vividas e aproveitadas.

Wanderley Oliveira | Ermance Dufaux
16 x 23 cm | 248 páginas

ebook

DIFERENÇAS NÃO SÃO DEFEITOS - A RIQUEZA DA DIVERSIDADE NAS RELAÇÕES HUMANAS

Ninguém será exatamente como gostaríamos que fosse. Quando aprendemos a conviver bem com os diferentes e suas diferenças, a vida fica bem mais leve. Aprenda esse grande SEGREDO e conquiste sua liberdade pessoal.

Wanderley Oliveira | Ermance Dufaux
16 x 22,5 cm | 248 páginas

ebook

EMOÇÕES QUE CURAM - CULPA, RAIVA E MEDO COMO FORÇAS DE LIBERTAÇÃO

Um convite para aceitarmos as emoções como forma terapêutica de viver, sintonizando o pensamento com a realidade e com o desenvolvimento da autoaceitação.

Wanderley Oliveira | Ermance Dufaux
16 x 23 cm | 272 páginas

e-book

SÉRIE AUTOCONHECIMENTO

QUAL A MEDIDA DO SEU AMOR?

Propõe revermos nossa forma de amar, pois estamos mais próximos de uma visão particularista do que de uma vivência autêntica desse sentimento. Superar limites, cultivar relações saudáveis e vencer barreiras emocionais são alguns dos exercícios na construção desse novo olhar.

Wanderley Oliveira | Ermance Dufaux
16 x 23 cm | 208 páginas

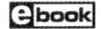

e-book

APAIXONE-SE POR VOCÊ

Você já ouviu alguém dizer para outra pessoa: "minha vida é você"?
Enquanto o eixo de sua sustentação psicológica for outra pessoa, a sua vida estará sempre ameaçada, pois o medo da perda vai rondar seus passos a cada minuto.

Wanderley Oliveira
16 x 23 cm | 152 páginas

e-book

DESCOMPLIQUE, SEJA LEVE

Um livro de mensagens para apoiar sua caminhada na aquisição de uma vida mais suave e rica de alegrias na convivência.

Wanderley Oliveira
16 x 23 cm | 238 páginas

e-book

A VERDADE ALÉM DAS APARÊNCIAS - O UNIVERSO INTERIOR

Liberte-se da ansiedade e da angústia, direcionando o seu espírito para o único tempo que realmente importa: o presente. Nele você pode construir um novo olhar, amplo e consciente, que levará você a enxergar a verdade além das aparências.

Samuel Gomes
14 x 21 cm | 272 páginas

ebook

7 CAMINHOS PARA O AUTOAMOR

O tema central dessa obra é o autoamor que, na concepção dos educadores espirituais, tem na autoestima o campo elementar para seu desenvolvimento. O autoamor é algo inato, herança divina, enquanto a autoestima é o serviço laborioso e paciente de resgatar essa força interior, ao longo do caminho de volta à casa do Pai.

Wanderley Oliveira | Pai João de Angola
16 x 23 cm | 272 páginas

ebook

FALA, PRETO VELHO

Um roteiro de autoproteção energética através do autoamor. Os textos aqui desenvolvidos permitem construir nossa proteção interior por meio de condutas amorosas e posturas mentais positivas, para criação de um ambiente energético protetor ao redor de nossas vidas.

Wanderley Oliveira | Pai João de Angola
16 x 23 cm | 291 páginas

ebook

DEPRESSÃO E AUTOCONHECIMENTO - COMO EXTRAIR PRECIOSAS LIÇÕES DESSA DOR

A proposta de tratamento complementar da depressão aqui abordada tem como foco a educação para lidar com nossa dor, que muito antes de ser mental, é moral.

Wanderley Oliveira
16 x 23 cm | 235 páginas

ebook

A REDENÇÃO DE UM EXILADO

A obra traz informações sobre a formação da civilização, nos primórdios da Terra, que contou com a ajuda do exílio de milhões de espíritos mandados para cá para conquistar sua recuperação moral e auxiliar no desenvolvimento das raças e da civilização. É uma narrativa do Apóstolo Lucas, que foi um desses enviados, e que venceu suas dificuldades íntimas para seguir no trabalho orientado pelo Cristo.

Samuel Gomes | Lucas
16 x 23 cm | 368 páginas

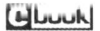

ebook

CONECTE-SE A VOCÊ - O ENCONTRO DE UMA NOVA MENTALIDADE QUE TRANSFORMARÁ A SUA VIDA

Este livro vai te estimular na busca de quem você é verdadeiramente. Com leitura de fácil assimilação, ele é uma viagem a um país desconhecido que, pouco a pouco, revela características e peculiaridades que o ajudarão a encontrar novos caminhos. Para esta viagem, você deve estar conectado a sua essência. A partir daí, tudo que você fizer o levará ao encontro do propósito que Deus estabeleceu para sua vida espiritual.

Rodrigo Ferretti
16 x 23 cm | 256 páginas

ebook

TRILOGIA REGENERAÇÃO

FUTURO ESPIRITUAL DA TERRA

As necessidades, as estruturas perispirituais e neuropsíquicas, o trabalho, o tempo, as características sociais e os próprios recursos de natureza material se tornarão bem mais sutis. O futuro já está em construção e André Luiz, através da psicografia de Samuel Gomes, conta como será o Futuro Espiritual da Terra.

Samuel Gomes | André Luiz
16 x 23 cm | 344 páginas

ebook

XEQUE-MATE NAS SOMBRAS - A VITÓRIA DA LUZ

André Luiz traz notícias das atividades que as colônias espirituais, ao redor da Terra, estão realizando para resgatar os espíritos que se encontram perdidos nas trevas e conduzi-los a passar por um filtro de valores, seja para receberem recursos visando a melhorar suas qualidades morais – se tiverem condições de continuar no orbe – seja para encaminhá-los ao degredo planetário.

Samuel Gomes | André Luiz
16 x 23 cm | 212 páginas

ebook

A DECISÃO - CRISTOS PLANETÁRIOS DEFINEM O FUTURO ESPIRITUAL DA TERRA

"Os Cristos Planetários do Sistema Solar e de outros sistemas se encontram para decidir sobre o futuro da Terra na sua fase de regeneração. Numa reunião que pode ser considerada, na atualidade, uma das mais importantes para a humanidade terrestre, Jesus faz um pronunciamento direto sobre as diretrizes estabelecidas por Ele para este período."

Samuel Gomes | André Luiz e Chico Xavier
16 x 23 cm | 210 páginas

ebook

ESTUDOS DOUTRINÁRIOS

ATITUDE DE AMOR

Opúsculo contendo a palestra "Atitude de Amor" de Bezerra de Menezes, o debate com Eurípedes Barsanulfo sobre o período da maioridade do Espiritismo e as orientações sobre o "movimento atitude de amor". Por uma efetiva renovação pela educação moral.

Wanderley Oliveira | Ermance Dufaux e Cícero Pereira
14 x 21 cm | 94 páginas

SEARA BENDITA

Um convite à reflexão sobre a urgência de novas posturas e conceitos. As mudanças a adotar em favor da construção de um movimento social capaz de cooperar com eficácia na espiritualização da humanidade.

Wanderley Oliveira e Maria José Costa | Diversos Espíritos
14 x 21 cm | 284 páginas

Gratuito em nosso site, somente em:

NOTÍCIAS DE CHICO

"Nesta obra, Chico Xavier afirma com seu otimismo natural que a Terra caminha para uma regeneração de acordo com os projetos de Jesus, a caracterizar-se pela tolerância humana recíproca e que precisamos fazer a nossa parte no concerto projetado pelo Orientador Maior, principalmente porque ainda não assumimos responsabilidades mais expressivas na sustentação das propostas elevadas que dizem respeito ao futuro do nosso planeta."

Samuel Gomes | Chico Xavier
16 x 23 cm | 181 páginas

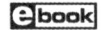

EVANGELHO SEGUNDO O ESPIRITISMO

Explicação dos ensinos morais de Jesus à luz do Espiritismo, com comentários e instruções dos espíritos para aplicação prática nas experiências do dia a dia.

Allan Kardec | Espírito da Verdade
16 x 23 cm | 416 páginas

MEDICAÇÕES ESPIRITUAIS

Um convite à cura da alma por meio do autoconhecimento, da espiritualidade e da vocação. Reflexões profundas sobre o propósito da vida e a transformação interior.

Luis Petraca | Espírito Frei Fabiano de Cristo
16 x 23 cm | 252 páginas

ROMANCES MEDIÚNICOS

OS DRAGÕES - O DIAMANTE NO LODO NÃO DEIXA DE SER DIAMANTE

Um relato leve e comovente sobre nossos vínculos com os grupos de espíritos que integram as organizações do mal no submundo astral.

Wanderley Oliveira | Maria Modesto Cravo
16 x 23cm | 522 páginas

LÍRIOS DE ESPERANÇA

Ermance Dufaux alerta os espíritas e lidadores do bem de um modo geral, para as responsabilidades urgentes da renovação interior e da prática do amor neste momento de transição evolutiva, através de novos modelos de relação, como orientam os benfeitores espirituais.

Wanderley Oliveira | Ermance Dufaux
16 x 23 cm | 508 páginas

AMOR ALÉM DE TUDO

Regras para seguir e rótulos para sustentar. Até quando viveremos sob o peso dessas ilusões? Nessa obra reveladora, Dr. Inácio Ferreira nos convida a conhecer a verdade acima das aparências. Um novo caminho para aqueles que buscam respeito às diferenças e o AMOR ALÉM DE TUDO.

Wanderley Oliveira | Inácio Ferreira
16 x 23 cm | 252 páginas

ABRAÇO DE PAI JOÃO

Pai João de Angola retorna com conceitos simples e práticos, sobre os problemas gerados pela carência afetiva. Um romance com casos repletos de lutas, desafios e superações. Esperança para que permaneçamos no processo de resgate das potências divinas de nosso espírito.

Wanderley Oliveira | Pai João de Angola
16 x 23 cm | 224 páginas

ebook

UM ENCONTRO COM PAI JOÃO

A obra também fala do valor de uma terapia, da necessidade do autoconhecimento, dos tipos de casamentos programados antes do reencarne, dos processos obsessivos de variados graus e do amparo de Deus para nossas vidas por meio dos amigos espirituais e seus trabalhadores encarnados. Narra também em detalhes a dinâmica das atividades socorristas do centro espírita.

Wanderley Oliveira | Pai João de Angola
16 x 23 cm | 220 páginas

ebook

O LADO OCULTO DA TRANSIÇÃO PLANETÁRIA

O espírito Maria Modesto Cravo aborda os bastidores da transição planetária com casos conectados ao astral da Terra.

Wanderley Oliveira | Maria Modesto Cravo
16 x 23 cm | 288 páginas

ebook

PERDÃO - A CHAVE PARA A LIBERDADE

Neste romance revelador, conhecemos Onofre, um pai que enfrenta a perda de seu único filho com apenas oito anos de idade. Diante do luto e diversas frustrações, um processo desafiador de autoconhecimento o convida a enxergar a vida com um novo olhar. Será essa a chave para a sua libertação?

Adriana Machado | Ezequiel
14 x 21 cm | 288 páginas

ebook

1/3 DA VIDA - ENQUANTO O CORPO DORME A ALMA DESPERTA

A atividade noturna fora da matéria representa um terço da vida no corpo físico, e é considerada por nós como o período mais rico em espiritualidade, oportunidade e esperança.

Wanderley Oliveira | Ermance Dufaux
16 x 23 cm | 279 páginas

ebook

NEM TUDO É CARMA, MAS TUDO É ESCOLHA

Somos todos agentes ativos das experiências que vivenciamos e não há injustiças ou acasos em cada um dos aprendizados.

Adriana Machado | Ezequiel
16 x 23 cm | 536 páginas

ebook

REENCONTRO DE ALMAS

Entre encontros espirituais e reencontros marcados pelo amor, o romance revela as escolhas, renúncias e resgates de almas destinadas a se encontrarem novamente através dos séculos.

Alcir Tonoli | Espírito Milena
16 x 23 cm | 280 páginas

ebook

RETRATOS DA VIDA - AS CONSEQUÊNCIAS DO DESCOMPROMETIMENTO AFETIVO

Túlio costumava abstrair-se da realidade, sempre se imaginando pintando um quadro; mais especificamente pintando o rosto de uma mulher. Vivendo com Dora um casamento já frio e distante, uma terrível e insuportável dor se abate sobre sua vida. A dor era tanta que Túlio precisou buscar dentro de sua alma uma resposta para todas as suas angústias. A partir de lembranças se desenrola a história de Túlio através de suas experiências reencarnatórias.

Clotilde Fascioni
16 x 23 cm | 175 páginas

ebook

O PREÇO DE UM PERDÃO - AS VIDAS DE DANIEL

Daniel se apaixona perdidamente e, por várias vidas, é capaz de fazer qualquer coisa para alcançar o objetivo de concretizar o seu amor. Mas suas atitudes, por mais verdadeiras que sejam, o afastam cada vez mais desse objetivo. É quando a vida o para.

André Figueiredo e Fernanda Sicuro | Espírito Bruno
16 x 23 cm | 333 páginas

ebook

ROMANCE JUVENIL

UM JOVEM OBSESSOR - A FORÇA DO AMOR NA REDENÇÃO ESPIRITUAL

Um jovem conta sua história, compartilhando seus problemas após a morte, falando sobre relacionamentos, sexo, drogas e, sobretudo, da força do amor na redenção espiritual.

Adriana Machado | Jefferson
16 x 23 cm | 392 páginas

ebook

UM JOVEM MÉDIUM - CORAGEM E SUPERAÇÃO PELA FORÇA DA FÉ

A mediunidade é um canal de acesso às questões de vidas passadas que ainda precisam ser resolvidas. O livro conta a história do jovem Alexandre que, com sua mediunidade, se torna o intermediário entre as histórias de vidas passadas daqueles que o rodeiam tanto no plano físico quanto no plano espiritual.
Surpresos com o dom mediúnico do menino, os pais, de formação Católica, se veem às voltas com as questões espirituais que o filho querido traz para o seio da família.

Adriana Machado | Ezequiel
16 x 23 cm | 365 páginas

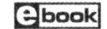

ebook

RECONSTRUA SUA FAMÍLIA - CONSIDERAÇÕES PARA O PÓS-PANDEMIA

Vivemos dias de definição, onde nada mais será como antes. Necessário redefinir e ampliar o conceito de família. Isso pode evitar muitos conflitos nas interações pessoais. O autoconhecimento seguido de reforma íntima será o único caminho para transformação do ser humano, das famílias, das sociedades e da humanidade.

Dr. Américo Canhoto
16 x 23 cm | 237 páginas

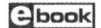

ebook

TRILOGIA ESPÍRITOS DO BEM

GUARDIÕES DO CARMA - A MISSÃO DOS EXUS NA TERRA

Pai João de Angola quebra com o preconceito criado em torno dos exus e mostra que a missão deles na Terra vai além do que conhecemos. Na verdade, eles atuam como guardiões do carma, nos ajudando nos principais aspectos de nossas vidas.

Wanderley Oliveira | Pai João de Angola
16 x 23 cm | 288 páginas

ebook

GUARDIÃS DO AMOR - A MISSÃO DAS POMBAGIRAS NA TERRA

"São um exemplo de amor incondicional e de grandeza da alma. São mães dos deserdados e angustiados. São educadoras e desenvolvedoras do sagrado feminino, e nesse aspecto são capazes de ampliar, nos homens e nas mulheres, muitas conquistas que abrem portas para um mundo mais humanizado, [...]".

Wanderley Oliveira | Pai João de Angola
16 x 23 cm | 232 páginas

ebook

GUARDIÕES DA VERDADE - NADA FICARÁ OCULTO

Neste momento de batalhas decisivas rumo aos tempos da regeneração, esta obra é um alerta que destaca a importância da autenticidade nas relações humanas e da conduta ética como bases para uma forma transparente de viver. A partir de agora, nada ficará oculto, pois a Verdade é o único caminho que aguarda a humanidade para diluir o mal e se estabelecer na realidade que rege o universo.

Wanderley Oliveira | Pai João de Angola
16 x 23 cm | 236 páginas

ebook

TRILOGIA CONSCIÊNCIA DESPERTA

SAIA DO CONTROLE - UM DIÁLOGO TERAPÊUTICO E LIBERTADOR ENTRE A MENTE E A CONSCIÊNCIA

Agimos de forma instintiva por não saber observar os pensamentos e emoções que direcionam nossas ações de forma condicionada. Por meio de uma observação atenta e consciente, identificando o domínio da mente em nossas vidas, passamos a viver conscientes das forças internas que nos regem.

Rossano Sobrinho
16 x 23 cm | 264 páginas

ebook

LIBERTE-SE DA SUA MENTE

Um guia de autoconhecimento e meditações que conduz o leitor à superação de padrões mentais e emocionais, promovendo equilíbrio, paz interior e despertar espiritual.

Rossano Sobrinho
16 x 23 cm | 218 páginas

ebook

SÉRIE FAMÍLIA E ESPIRITUALIDADE

ESCOLHA VIVER

Relatos reais de espíritos que enfrentaram o suicídio e encontraram no amor, na espiritualidade e na esperança um novo caminho para seguir e reconstruir suas jornadas.

Wanderley Oliveira | Espírito Ebert Morales
16 x 23 cm | 188 páginas

ebook